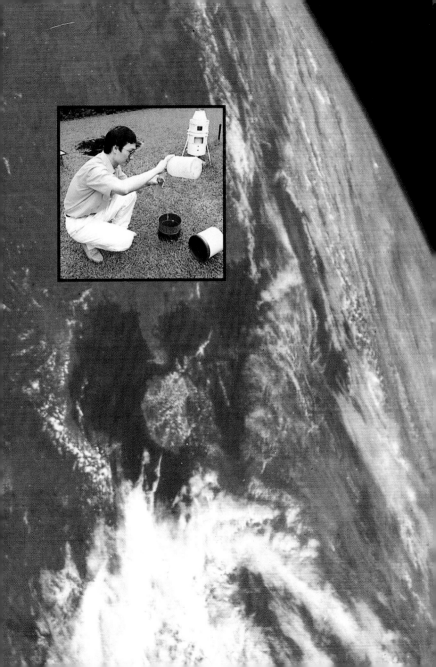

Ingénieur à Météo-
France, René Chaboud
fut chargé, à partir de
1977, d'adapter au grand
public les bulletins
météorologiques, sur
les antennes de France-
Inter. En 1987, il devint,
avec son collègue
Jacques Kessler, l'une
des premières «voix
météorologiques» sur
France-Info. Depuis
1980, il collabore à
l'élaboration des
prévisions du Centre
météorologique
régional de Lyon.
Auteur de nombreux
articles et d'ouvrages
sur la météorologie, il
a publié, en 1993, *La
Météo, questions de
temps*, aux éditions
Nathan.

*L'auteur et l'éditeur
remercient Météo-France
pour leur étroite
collaboration.*

*1er dépôt légal : novembre 1994
Dépôt légal : mai 2001
Numéro d'édition : 2852
ISBN : 2-07-053275-5
Imprimé en Italie
par Editoriale Lloyd*

PLEUVRA, PLEUVRA PAS
LA MÉTÉO AU GRÉ DU TEMPS

René Chaboud

DÉCOUVERTES GALLIMARD
SCIENCES

Ils ont scruté le ciel et les astres, observé le comportement des animaux. Ils ont prié Dieu, maudit le diable. Conscients que leur existence était liée aux aléas climatiques, les hommes ont utilisé tous les moyens qu'ils possédaient afin de prévoir le temps, mais seuls les progrès de la science ont apporté l'ébauche d'une réponse à la question pourtant si simple : quel temps fera-t-il demain?

CHAPITRE PREMIER
AU COMMENCEMENT ÉTAIT LE CIEL

Mythologie, Genèse ou croyances populaires, depuis fort longtemps, les Anciens ont personnalisé les astres et les phénomènes célestes, prêtant un comportement humain au Soleil, à la Lune, et même à Dieu, que cette miniature de la Bible des Grands-Augustins donne à voir, séparant la lumière des ténèbres.

M. le *Soleil* et Mme la *Lune* ayant appris un matin que leur cousine la *Terre* est bien mal, projettent ensemble de

Lors de la dernière grande glaciation, il y a 18 000 ans, le niveau de la mer était de 120 mètres inférieur à sa limite actuelle et on pouvait se rendre de France en Angleterre à pied sec. A l'inverse, il y a 120 000 ans, alors que la Terre traversait une «période chaude», il était 6 mètres plus haut, et de grandes étendues du globe étaient submergées par les eaux. Les facultés d'adaptation des hommes leur ont permis de supporter ces formidables évolutions du climat et de continuer à se multiplier, rendant plus cruciale encore la question du lendemain. Et si notre atmosphère, fragile, polluée, produisait brusquement un climat invivable? Autant de raisons pour s'intéresser à la science de l'atmosphère ou météorologie.

Comprendre et prévoir le temps à l'âge de pierre

L'œil à l'affût, le geste sûr, nos ancêtres furent d'habiles chasseurs. Le sens du vent, l'aspect du ciel, le taux d'humidité de l'air, de simples traces sur la neige… autant d'indications précieuses pour déterminer les mouvements du gibier. Lorsqu'ils se

Déluge terrible ou sécheresse allant de pair avec une régression du niveau des mers ont été tour à tour évoqués pour expliquer la disparition des dinosaures à la fin du crétacé.

firent agriculteurs, les hommes comprirent mieux encore que leur existence dépendait de leur connaissance des phénomènes météorologiques.

Certains dessins trouvés en Ecosse, datés de 12 000 à 6 000 ans av. J.-C., comportent des signes qui semblent représenter le Soleil et la pluie ou bien le Soleil et la Lune entourés de halos. Les premiers textes écrits témoignent de la place importante que tenait déjà la prévision – fût-elle divination – du temps. Des tablettes de terre cuite, datant du XIIᵉ siècle av. J.-C., font état des interprétations et des classifications que les Babyloniens avaient établies, concernant les phénomènes climatiques. L'un d'eux avait même pris la peine de faire graver à jamais : «Quand le soleil est entouré d'un halo, la pluie va tomber. Quand un nuage obscurcit le ciel, le vent va souffler.»

D'autres preuves? Les premières pages de la Genèse, consacrées au plus grand phénomène météorologique de tous les temps : le Déluge! En admettant que les narrateurs bibliques aient un peu exagéré – Noé avait 600 ans lorsque commença la punition divine –, les faits sont là : en certaines occasions, la pluie pouvait mettre tant d'ardeur, les averses et les orages tant de hargne, qu'ils suscitaient peur, respect et crainte chez les pauvres terriens.

Il semble que dès le XIIIᵉ siècle av. J.-C. les Chinois aient noté des phénomènes météorologiques observés sur des périodes de dix jours consécutifs. Ainsi, l'écaille de tortue ci-dessous, gravée de caractères anciens (entre 1339 et 1281 av. J.-C.), mentionne : «Kuei-hai, le premier jour; troisième jour, pluie pendant la nuit; cinquième jour, pluie tôt le matin; sixième jour, pluie et vent dans la soirée; dixième jour, fort vent du nord.»

Le temps et les grands savants de l'Antiquité

Jusqu'à preuve du contraire, ce sont les Chinois qui effectuèrent les premières observations météorologiques régulières. Réalisées sous la dynastie Yin, en 1300 av. J.-C., elles décrivent l'aspect du ciel, les hauteurs de neige et les caractéristiques du vent pendant une période de dix jours consécutifs. Quelques siècles plus tard, lors de la dynastie Chou (1066 av. J.-C.), des descriptions climatiques furent officiellement consignées.

Se fondant sur le mouvement des planètes, l'aspect du Soleil ou divers phénomènes lumineux, les mages babyloniens furent parmi les premiers à établir un système de prévision du temps, ou plutôt des règles climatiques, sous les auspices de Marduk, dieu maître du cosmos.

Chez les Grecs, Thalès (environ 600 av. J.-C.) dressa le premier calendrier météorologique à l'usage des marins. La petite histoire assure qu'il profita de ses connaissances en météorologie pour acheter une récolte d'olives, peu avant l'arrivée d'une période de sécheresse. Ainsi fit-il fortune!

Aristote (384-322 av. J.-C.) écrivit un ouvrage ambitieux, *Les Météorologiques*, dans lequel il aborde de nombreux phénomènes météorologiques : les nuages, la pluie, la rosée, la neige, la grêle, les orages, sans compter les phénomènes optiques tels que l'arc-en-ciel ou les halos. En dépit d'inexactitudes certaines, il est remarquable qu'Aristote soit parvenu à expliquer le rôle de la condensation de l'eau, comprenant, en particulier, que seule l'intensité du refroidissement pouvait expliquer la formation tour à tour de la pluie, de la rosée, de la neige ou bien encore de la gelée blanche. Complétée par Théophraste (372-287 av. J.-C.), qui publia le *Traité des vents*, l'œuvre d'Aristote devait faire autorité pendant près de vingt siècles.

Des grenouilles et des Latins

C'est apparemment aux environs de 278 av. J.-C. que les grenouilles firent une première apparition en météorologie. Aratus (315-245 av. J.-C.) écrivait : «Si les grenouilles répètent aux marais leur plainte monotone, les nuages se résoudront en torrents de pluie.» Quelques savants grecs se risquèrent aux prédictions météorologiques.

Contrairement aux Babyloniens ou aux Chaldéens qui pensaient que les phénomènes météorologiques dépendaient uniquement du mouvement des astres, Anaxagore de Milet (à gauche), philosophe grec du VIe-Ve siècle av. J.-C., essaie de comprendre les lois de l'atmosphère, particulièrement la formation des nuages et la variation des températures de l'air ascendant.

Comme les Babyloniens ou les Chaldéens, Thalès donnait une importance primordiale à la Lune. Il se rendit célèbre en annonçant, dit-on, l'éclipse solaire qui eut effectivement lieu en 585 av. J.-C.

❝Nous appelons arc-en-ciel le reflet du soleil dans les nuages. C'est un indice d'orage. En effet, l'eau qui imprègne les nuages provoque le vent ou la pluie.❞
Anaxagore de Milet

Celles-ci reposaient presque toujours sur l'interprétation de l'aspect et des positions des astres.

Chez les Latins, Virgile (70-19 av. J.-C.) essaya de tirer parti à la fois de l'observation du Soleil, de la Lune et de celle des animaux. Il consigna ses remarques dans le Livre I des *Géorgiques* : «Jamais l'orage n'a surpris les laboureurs à l'improviste : en le voyant s'élever du sein des vallées, les grues

Lucrèce, au Ier siècle av. J.-C., tenta une interprétation matérialiste de l'univers. La miniature ci-dessus, du XIIIe siècle, illustre son propos sur les éclairs et trombes d'eau dans le *De natura rerum*.

s'enfuient à travers les nues.» Pline (23-79 apr. J.-C.) proclame : «La lune rouge présage le vent, la lune noire présage la pluie.»

De l'autre côté des Alpes enfin, au début de notre ère, de peur que le ciel ne leur tombe sur la tête, les Goths et Gaulois tirent des flèches sur les nuages qu'ils sentent devenir menaçants.

Le diable, le bon Dieu et les éléments

Après les remarquables progrès accomplis sous l'impulsion des savants grecs et latins, la science météorologique naissante semblait promise au plus bel avenir. Hélas! elle sombra dans l'oubli. Les hommes, en guerre perpétuelle, se tournèrent vers la magie qui prétendait apporter des réponses plus immédiates à leurs tourments. Confondue avec l'astrologie, assimilée aux sciences occultes, l'étude du temps et des éléments traversa une longue période d'obscurantisme au Moyen Age, se cantonnant, dans les meilleurs des cas, à un rôle purement contemplatif.

SAINT DONAT, MARTYR,

En France, on se contentait de relater quelques phénomènes sans jamais leur apporter la moindre tentative d'explication. On apprend ainsi que le mois de décembre 1302 fut exceptionnellement froid :

En 1557, quand fut réalisée cette gravure sur bois (ci-dessus), on pensait que l'arrivée de la pluie dépendait de la seule volonté de Dieu. Pourquoi, dès lors, ne pas l'imaginer prouvant son infinie puissance en faisant tomber des croix plutôt que des gouttes!

Miraculeusement rescapé de la foudre, saint Donat (ci-contre) s'était forgé une réputation enviable de grand protecteur. Lui seul pouvait, dans son armure romaine, armé d'un glaive et de la palme des martyrs, écarter le feu céleste.

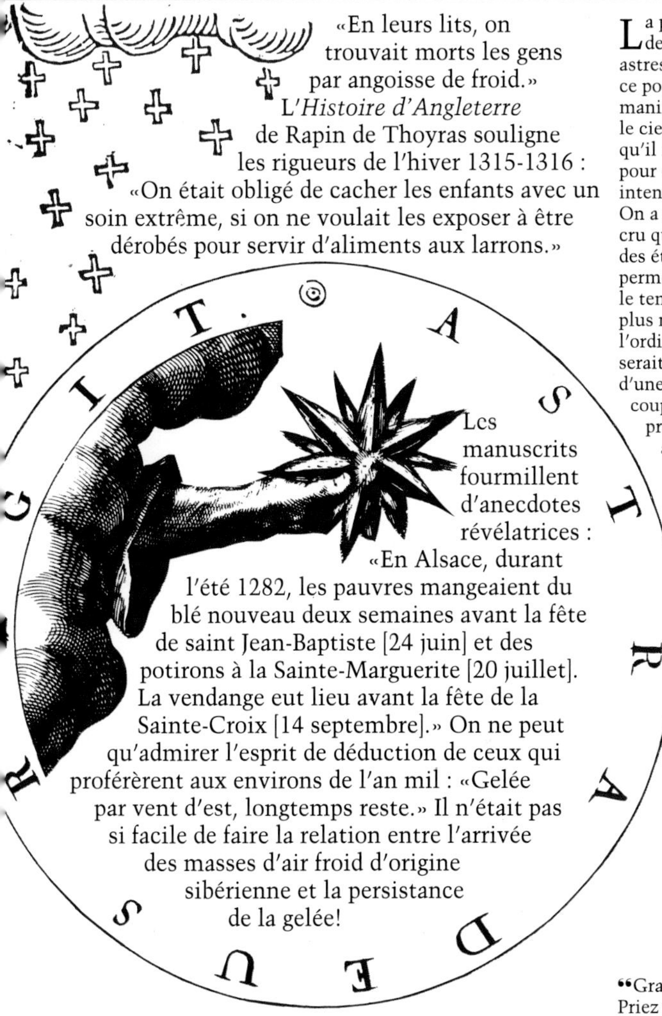

«En leurs lits, on trouvait morts les gens par angoisse de froid.» L'*Histoire d'Angleterre* de Rapin de Thoyras souligne les rigueurs de l'hiver 1315-1316 : «On était obligé de cacher les enfants avec un soin extrême, si on ne voulait les exposer à être dérobés pour servir d'aliments aux larrons.»

La puissante main de Dieu régit les astres. Une fois posé ce postulat, toute manifestation dans le ciel devient un signe qu'il faut interpréter pour deviner les intentions du créateur. On a ainsi longtemps cru que l'apparition des étoiles filantes permettait de prévoir le temps à long terme : plus nombreuses qu'à l'ordinaire, l'hiver serait rigoureux. La vue d'une comète était à coup sûr un mauvais présage : elle annonçait à la fois l'arrivée prochaine des vents forts et celle de la sécheresse...

Les manuscrits fourmillent d'anecdotes révélatrices : «En Alsace, durant l'été 1282, les pauvres mangeaient du blé nouveau deux semaines avant la fête de saint Jean-Baptiste [24 juin] et des potirons à la Sainte-Marguerite [20 juillet]. La vendange eut lieu avant la fête de la Sainte-Croix [14 septembre].» On ne peut qu'admirer l'esprit de déduction de ceux qui proférèrent aux environs de l'an mil : «Gelée par vent d'est, longtemps reste.» Il n'était pas si facile de faire la relation entre l'arrivée des masses d'air froid d'origine sibérienne et la persistance de la gelée!

"Grand saint Donat Priez pour moi, Que l'orage ne tombe pas sur moi, Ni sur mes parents, ni sur mes amis, Qu'il tombe sur l'eau, où il n'y a pas de bateaux."
Prière à saint Donat

Mais, pour le plus grand nombre, seul Dieu avait le pouvoir de manipuler à sa guise les phénomènes météorologiques. On lui adressait de multiples prières durant les périodes de sécheresse pour qu'il déclenche la pluie. On priait tout autant pour qu'il l'arrête en cas d'inondation. Et quand toutes ces prières demeuraient sans résultat, on attribuait leur échec au diable et à ses mauvaises actions.

La valeur des dictons : le bon sens populaire

Au XVIᵉ siècle, dictons et proverbes prirent le relais de la «météorologie divine». Condensés de remarques, d'observations, de

Grâce aux tendres soins de M. *Soleil* et de Mᵐᵉ la *Lune* ses parents, Mᵐᵉ la *Terre* est bientôt rétablie, et donne le

déductions, effectuées la plupart du temps par les gens de la campagne, ils étaient colportés de bouche à oreille, puis d'almanach en almanach. Leur popularité dépendait non seulement de leur efficacité, mais aussi du côté plaisant de leur présentation. Certains parvinrent à allier les deux avec un certain bonheur : «Ciel pommelé et fille fardée ne sont pas de longue durée.» D'autres semblent n'avoir été créés que pour l'humour ou la richesse de leur rime : «Noël au balcon, Pâques aux tisons» ou «A la chandeleur, l'hiver se meurt ou reprend vigueur»…

Seuls les dictons fondés sur l'observation présentent une réelle valeur météorologique. Nombre d'entre eux dénotent une véritable finesse et peuvent encore se révéler d'une certaine utilité : «Grande visibilité, eau annoncée» ou «Lune cerclée, pluie assurée».

Au moment même où la mode des dictons battait son plein en France, les Anglais perdaient leur flegme

Cosmogonie naïve et tout imprégnée de bons préceptes moraux, les images ci-contre et en bas des deux pages appartiennent à une planche illustrée de l'imprimerie Pellerin à Epinal. En associant M. Soleil et Mᵐᵉ Lune, Mˡˡᵉ la Pluie, Papa Tonnerre, Grêle, Vent et Neige, dans un ensemble de relations familiales et d'épisodes très animés, elles ont tout au moins l'intérêt de présenter les éléments de l'atmosphère comme interdépendants. Si leur valeur scientifique est indubitablement nulle, elles ne renoncent pas cependant à une certaine visée éducative, concentrée dans le mot de la fin : «Le Soleil, mes enfants, c'est l'œil du Créateur, vivifiant à lui seul homme, animal et fleur.»

En se laissant rouler du sommet de montagnes, Mᵐᵉ la *Neige* anéantit sous elle l'habitant du vallon.

De son côté papa *Tonnerre*, vieux et rusé coquin, tuait et incendiait ce qu'il trouvait en route.

Mˡˡᵉ la *Grêle* et compère *Ouragan* détruisent toutes les moissons des enfants de Mᵐᵉ la *Terre*.

La Lune Rousse

Épouvantail des jardiniers, la lune rousse était autrefois réputée roussir les bourgeons printaniers, que l'on retrouvait, au petit matin, irrémédiablement détruits. Haut dans le ciel, la Lune semblait à chaque fois contempler le spectacle. Il s'imposait comme une évidence que les plantes avaient été brûlées par les rayons de la Lune. Arago s'étant penché sur le phénomène prouva que seules les gelées printanières étaient responsables des dégâts. En favorisant le refroidissement nocturne, le ciel clair permettait simplement à la Lune de se montrer. Et sa présence assidue lors des coups de gel printaniers faisait d'elle la coupable toute désignée.

déjà légendaire. Une loi promulguée outre-Manche en 1677 promit le bûcher à tous les «faiseurs de pluie et prophètes du temps». Elle fut superbement ignorée. On se souvint bien plus tard de son existence et elle fut abrogée en... 1959.

❝Gelée de lune rousse, de la plante brûle la pousse.❞
Dicton du Vivarais

M. le *Vent* était partout! Ici frappant les flancs de la mer, il la met en furie et fait sombrer le nautonnier.

Là, de concert avec Mlle la *Pluie* sa sœur, ils ouvrent les réservoirs des cieux, et les enfants de Mme la *Terre* meurent tous par le déluge.

MORALITÉ.

Le Soleil, mes enfants, c'est l'œil du Créateur Vivifiant lui seul, homme, animal ou fleur.

Les instruments de la science

Périls de la science, voici venu le temps des expériences.

Cependant que l'empirisme populaire continuait
à affiner formules et recettes de prédiction,
la recherche scientifique, peu à peu, élaborait
ses propres lois
et perfectionnait
ses instruments.

De nombreuses
découvertes
scientifiques furent
effectuées à la fin du
XVIIe siècle et au début
du XVIIIe. En 1643,
Torricelli mit en
évidence l'existence
de la pression
atmosphérique et
inventa le baromètre
qui permettait de
la mesurer. Le
pluviomètre était
utilisé en Europe
depuis 1639.

L'hygromètre apparut en 1664; les premiers
anémomètres virent le jour en 1667, tandis
que le thermomètre fut définitivement mis
au point en 1730.

Aux environs de 1765, Lavoisier proposa les
premières règles pour prévoir le temps : «La
prédiction des changements qui doivent arriver au
temps est un art qui a ses principes et ses règles, qui
exige une grande expérience et l'attention d'un
physicien très exercé. Les données nécessaires pour
cet art sont : l'observation habituelle et journalière
des variations de la hauteur du mercure dans le
baromètre, la force et la direction des vents à
différentes élévations, l'état hygrométrique de l'air.
[...] Avec toutes ces données, il est presque toujours
possible de prévoir un jour ou deux à l'avance, avec
une très grande probabilité, le temps qu'il doit faire;
on pense même qu'il serait d'une grande utilité pour
la société.»

Les lois des gaz parfaits furent établies au tout début du XIXᵉ siècle : la loi de Laplace en 1783, celle de Dalton en 1801, de Gay-Lussac en 1802, celle d'Avogadro en 1811. Cette accumulation de connaissances permit de mieux comprendre la nature des phénomènes atmosphériques. Les gouvernants commencèrent à s'intéresser à leurs applications.

Le temps, stratège des batailles

Au cours des guerres sans merci auxquelles se livraient les peuplades anciennes, les conditions météorologiques jouèrent parfois un rôle déterminant. César, en 56-54 av. J.-C., lors de sa guerre contre les Vénètes, fut mis en difficulté par les tempêtes qui brisèrent un grand nombre de ses bateaux, successivement au large de la Bretagne puis en Manche.

Bien plus tard, en 1274, alors que Kubilay khan (petit-fils de Genghis khan) se préparait à envahir le Japon à la tête d'une flottille de 700 bateaux et de 35 000 hommes, son armée fut défaite par un terrible typhon.

L'ascension en ballon, en 1804, de Gay-Lussac et Biot (ci-dessus) repose sur l'un des principes fondamentaux de la dynamique atmosphérique : «L'air chaud, plus léger que l'air froid qui l'entoure, s'élève en altitude.» Ballons et montgolfières fonctionnent selon cette loi immuable.

En 1777, Lavoisier (1743-1794, page de gauche) détermine expérimentalement la composition de l'air en oxygène et en «air délétère» – qui sera plus tard nommé azote. Il aboutit à un résultat proche de la réalité, estimant à 27 % la proportion d'oxygène alors qu'elle est de 21 %.

La météorologie en laboratoire n'est pas une science anodine. Même simulé, un phénomène tel que la foudre développe une puissance considérable. Cruelle vérification du Russe Richmann (à gauche), tué lors d'une expérience à Saint-Pétersbourg le 6 août 1753.

24

EVANGELISTA TORRICELLI

L'hygromètre

Ce n'est qu'aux XVIIIᵉ et XIXᵉ siècles, que l'on parvint à mesurer le taux d'humidité, c'est-à-dire la quantité de vapeur d'eau contenue dans l'air. En page de gauche, deux balances hygrométriques, l'une à déchets de coton et l'autre en verre, œuvre de l'Academia del Cimento à Florence. Le premier véritable hygromètre fut construit vers 1780 par Horace-Benédict de Saussure (page de gauche, en haut, à gauche). Son principe reposait sur une simple remarque : l'allongement d'une mèche de cheveux en air humide.

Le baromètre

Torricelli (page de gauche, à droite) démontra en 1643 que la pression atmosphérique, c'est-à-dire le poids de l'air au-dessus de la surface terrestre, était équivalente à une colonne de 76 centimètres de mercure. Le baromètre (ci-contre) était né. Successivement Blaise Pascal en 1648 et Robert Boyle en 1661 (à gauche) réalisèrent en d'autres lieux la même expérience.

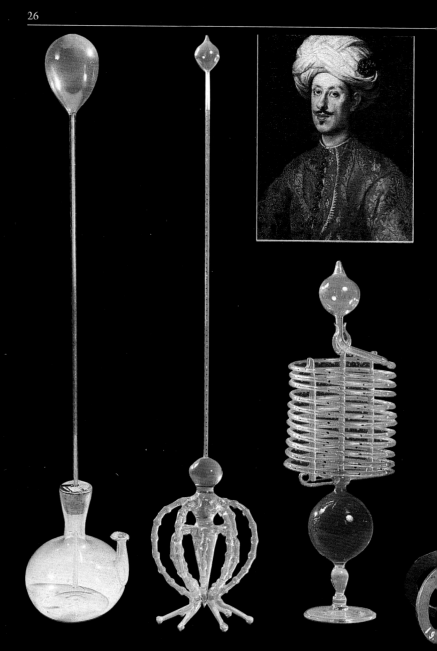

26

Le thermomètre

Sur la base des principes établis dès 1597 par Galilée, le premier thermomètre à liquide fut mis au point en 1641 à la cour du duc Ferdinand II de Toscane (à gauche, son portrait en habit de Turc). L'échelle graduée permettant de repérer la température fit ensuite l'objet de nombreuses polémiques. En effet, ignorant alors que l'eau bout et se congèle à température constante, on ne disposait pas des deux repères nécessaires. En 1694 finalement, un physicien de Padoue choisit comme points fixes de la graduation les températures d'ébullition et de congélation de l'eau. En 1730, Réaumur divisa cette échelle en 80°, et c'est finalement Celsius qui proposa, en 1742, l'échelle centigrade, la plus utilisée aujourd'hui. De gauche à droite : une copie du XIXᵉ siècle du thermoscope inventé par Galilée lors de son séjour à Padoue en 1597. Puis deux thermomètres en verre créés en 1657 par les savants de l'Academia del Cimento à Florence, qui, autant que de la science, témoignent de l'art des verriers. Puis le thermomètre à mercure utilisé par Lavoisier. Enfin, surmonté d'un bonnet phrygien, un modèle révolutionnaire assez proche de ceux que nous connaissons.

Celui-ci provoqua la mort de plus d'un tiers des
équipages. En 1281, après avoir rassemblé
140 000 Mongols, Coréens et Chinois, il entreprit
à nouveau la conquête. Un nouveau typhon mit
la flotte en déroute.

Au cours de la bataille de Crécy, le 26 août 1346,
les Anglais surent protéger leurs arcs par des
capuchons. L'armée de Philippe VI négligea ce
«détail». Exécutés à partir de cordes détendues,
les tirs français manquèrent de puissance et de
précision, d'où la défaite. Le 24 octobre 1415
à Azincourt, la pluie fut à nouveau funeste aux
Français. Lourdement armés et plantés dans la boue,
ils ne purent résister aux assauts des cavaliers
anglais équipés plus légèrement.

Faut-il souligner les déboires de Napoléon Ier qui,
dédaignant l'«absurde météorologie» de Lamarck, de
Trafalgar à Waterloo ou pendant la retraite de Russie,
ne voulut jamais prendre en compte le «facteur
temps»... La Révolution française elle-même n'est pas
étrangère aux conditions climatiques, les orages de
grêle au cours de l'été 1788, suivis par un hiver très
rigoureux en 1788-1789, ayant engendré la famine
et le mécontentement du peuple.

«Messieurs les Préfets»

En 1821, à la suite d'«anomalies climatiques»,
le ministre secrétaire d'Etat à l'Intérieur français
s'adressa à tous les préfets : «Messieurs, depuis

De la Touraine à la
Belgique, les orages
de juillet 1788 ruinèrent
les récoltes de blé,
semant famine et
misère sur leur
passage.

quelques années, nous sommes témoins de refroidissements sensibles de l'atmosphère, de variations subites dans les saisons, d'ouragans et d'inondations extraordinaires auxquels la France semble devenir de plus en plus sujette.» Les préfets furent invités à rechercher la cause de ces «anomalies».

Et ils trouvèrent! Furent incriminées : la déforestation de la France, celle de l'Amérique, les tremblements de terre, les éruptions volcaniques ou... la déclinaison de l'aiguille aimantée. Le préfet de la Charente se distingua par une réponse lapidaire mais pleine de bon sens : «On ne pourra déterminer la cause de ces anomalies tant que le gouvernement n'aura pas rendu obligatoires des observations météorologiques journalières.»

La météorologie moderne est née dans la tempête

Le 14 novembre 1854, au cours de la guerre de Crimée, une violente tempête causa la perte du vaisseau *Henri-IV* et de 38 navires de commerce. Il y eut 400 morts. A la suite de ce désastre, le ministre de la Guerre de l'époque, le maréchal Vaillant, chargea l'astronome Urbain Le Verrier (1811-1877) d'en étudier les causes. Celui-ci mit en évidence que la tempête en question existait déjà le 12 novembre et avait, en deux jours, traversé toute l'Europe, du nord-ouest au sud-est. C'est ainsi

Urbain Le Verrier (1811-1877, ci-dessus), astronome, directeur de l'Observatoire de Paris, est considéré comme le père de la météorologie moderne. Le naufrage du vaisseau de guerre *Henri-IV* (page de gauche, en haut), le 13 novembre 1854, en pleine guerre de Crimée, lui fournit l'occasion de prouver l'absolue nécessité d'un développement de la météorologie. Grâce à lui, elle obtint enfin, en 1855, le statut officiel de «science éminemment pratique, à l'avancement de laquelle la navigation, l'agriculture, les travaux publics, l'hygiène, sont spécialement intéressés».

C'est au cours du deuxième congrès international sur la météorologie (ci-contre), tenu à Rome en avril 1879, que fut constitué un comité, formé de neuf membres, parmi lesquels le Néerlandais Buys-Ballot (à droite), chargé de coordonner et d'harmoniser les rapports «entre les divers instituts centraux pour la communication des observations» et la distribution des publications.

qu'il démontra qu'une grande partie des phénomènes qui affectent le temps sont des phénomènes migrateurs. La météorologie moderne venait de faire son premier pas.

On prit alors la décision d'établir un réseau d'observations chargé de la signalisation des phénomènes dangereux. Ce réseau comportait, en tout et pour tout, 24 stations dont 13 étaient reliées entre elles par télégraphe. Ce n'était qu'un début. Des accords furent passés avec les services météorologiques étrangers qui commençaient eux aussi à s'organiser. Des informations, de plus en plus nombreuses, furent échangées. En 1865, le réseau météorologique européen comportait 59 stations.

Toutes ces observations météorologiques mirent en évidence le rôle de la pression atmosphérique : les variations du temps semblaient bien dépendre de celles du baromètre.

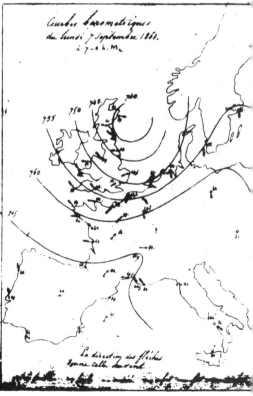

Le «petit chemin de fer» des prévisionnistes

En 1860, un météorologiste hollandais, Buys-Ballot (1817-1890), parvint à expliquer plus précisément le mécanisme de cette relation. Il démontra que le vent se dirige toujours suivant les lignes isobares, c'est-à-dire des lignes d'égale pression. Les relevés barométriques permirent alors le tracé des premières «cartes isobares».

A l'origine, la méthode de prévision était fort simple. Dans une première phase, il s'agissait de déterminer l'emplacement des phénomènes atmosphériques : grands systèmes nuageux, grands ensembles pluvieux. Cette localisation était faite

Les premières cartes météorologiques (ci-dessous, celles du 7 et du 10 septembre 1863 pour l'Europe de l'Ouest) faisaient apparaître des lignes d'égale pression. Grâce aux travaux de Buys-Ballot, il devenait possible d'estimer la direction et la vitesse du vent et d'en déduire le sens de déplacement des nuages.

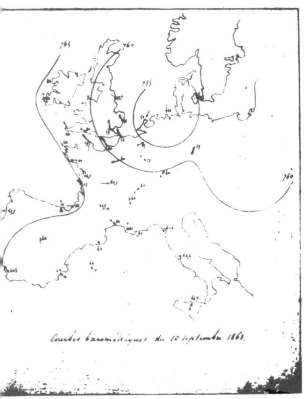

Courbes barométriques du 10 septembre 1863.

«La règle trouvée, que les grandes différences barométriques dans les limites de notre pays sont suivies par des vents plus forts, est que le vent est en général perpendiculaire à la direction indiquée par la plus grande pente barométrique, de sorte qu'un décroissement du nord au sud de la pression barométrique est suivi d'un vent d'est, et un décroissement du sud au nord, d'un vent d'ouest.**»**
Buys-Ballot

à l'aide des observations météorologiques régulièrement échangées. Dans une deuxième phase, en fonction de la direction et de la vitesse du vent déterminées par les lignes isobares, on envisageait le déplacement de tous ces phénomènes.

Cette méthode, appelée le «petit chemin de fer» par les prévisionnistes, comportait de graves imperfections. Les effets du relief n'étaient pas pris en compte. De plus, on devait se contenter d'observations faites à partir du sol. Or, il n'est pas possible de négliger la troisième dimension : l'altitude!

L'ère des cerfs-volants et des ballons-sondes

Seul le vent en altitude est responsable du déplacement des nuages, dans une direction ou dans une autre. En de nombreuses circonstances, les vents d'altitude ne coïncident pas avec ceux qui soufflent au niveau du sol. Prévoir le déplacement des nuages exige d'appréhender donc l'atmosphère dans ses trois dimensions.

Au fil des années, les météorologistes s'évertuèrent à corriger ces graves défauts. Les premières mesures en altitude furent réalisées à l'aide d'enregistreurs emportés par des cerfs-volants et des ballons captifs ou libres. Teisserenc de Bort (1855-1913), fondateur de l'observatoire météorologique de Trappes, en fut l'initiateur. Mais la récupération des appareils était très aléatoire. Un Français, Robert Bureau, et un Russe, Moltchanov, mirent au point vers 1930 la technique du radio-sondage qui permettait l'envoi par radio des différentes mesures effectuées pendant l'ascension du ballon.

Les lâchers de ballons-sondes devinrent systématiques, avec mission de communiquer des renseignements sur l'humidité, le vent et les températures en altitude. Parallèlement, le nombre des stations d'observation continua d'augmenter. Considérablement améliorée, la méthode du «petit chemin de fer» valut quelques beaux succès aux prévisionnistes... L'exemple le plus fameux est sans doute la prévision réussie lors du débarquement des troupes alliées en juin 1944 sur le sol de Normandie.

Anémomètre et girouette (en haut, à gauche) permettaient des observations depuis le sol. Dû à Teisserenc de Bort, l'usage du cerf-volant et du ballon-sonde livrait des informations sur les vents en altitude.

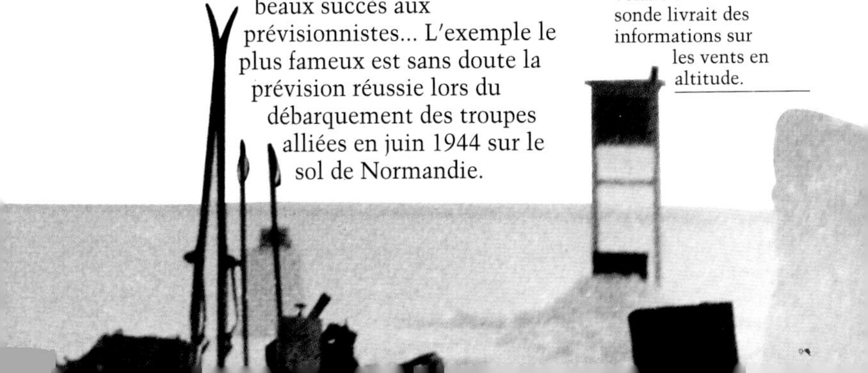

Imaginons que la Terre soit une boule d'un mètre de diamètre; l'atmosphère, cette mince et fragile enveloppe gazeuse, ne serait alors représentée que par une pellicule de 2 millimètres. 99 % de la masse atmosphérique se situent en dessous de 30 kilomètres. Au-delà, les traces du gaz atmosphérique se font de plus en plus rares, pour devenir imperceptibles à partir de 1 500 kilomètres d'altitude.

CHAPITRE II
ATMOSPHÈRE, ATMOSPHÈRE...

Non! Le savant ne sortira pas du monde comme l'indique cette gravure sur bois, prétendument de la fin du XVᵉ siècle. Notre Soleil n'est qu'une étoile parmi tant d'autres, notre Terre qu'un minuscule caillou au sein de l'univers. Et que dire de l'atmosphère, subtile pellicule gazeuse qui l'entoure?

Les religions anciennes avaient si bien compris l'importance du Soleil qu'elles en avaient souvent fait un dieu : Râ et Aton chez les Egyptiens, Shamash chez les Babyloniens, Apollon et Hélios chez les Grecs ou bien encore Kinch Ahau chez les Mayas.

La puissance de l'étoile Soleil

De nos jours, le Soleil n'est qu'une étoile parmi les 100 milliards d'étoiles de notre galaxie. Mais de cette banale étoile, la Terre tient toute l'énergie disponible. Bien peu de chose pour le Soleil qui ne nous accorde qu'un demi-milliardième de l'énergie qu'il rayonne dans l'espace... Mais sans ce demi-milliardième, la vie serait parfaitement impossible et la température ne dépasserait pas -250 °C à la surface de notre planète.

Distant de 150 millions de kilomètres, le Soleil est une masse gazeuse en mouvement, recouverte par des flammes. Le cœur du brasier atteint une température inimaginable, proche de 15 millions de degrés. En surface, la température n'est pas uniforme, comprise entre 6 000 °C et 4 000 °C. Avec une pression cent milliards de fois plus élevée que notre pression atmosphérique, le Soleil est une supercentrale thermonucléaire d'une fantastique puissance : la production d'une chaleur équivalente nécessiterait une combustion de 500 millions de tonnes de pétrole par seconde.

En spectateur impuissant, on ne peut que surveiller les évolutions du Soleil. Il gratifie la Terre d'une énergie permanente équivalente à 340 watts par mètre carré en moyenne aux confins de notre atmosphère : la constante solaire. Cette énergie, distribuée généreusement, est à la base de tous les mouvements atmosphériques. Or, les spécialistes ont calculé que le Soleil possède une réserve d'énergie qui lui permettra de fonctionner encore pendant

Les éruptions solaires (ci-dessous) émettent une quantité énorme de particules. Une infime partie d'entre elles est captée par le champ magnétique terrestre. Ces éruptions se traduisent sur notre Terre par la multiplication des aurores polaires.

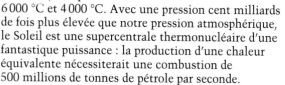

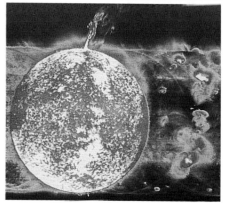

Elle est encore bien moyenâgeuse et païenne, cette représentation du Soleil dans un manuscrit italien du XVe siècle. L'ardeur du Soleil, la puissance du lion et la sagesse de l'homme, foulant les nuages, s'assemblent dans une magique trilogie et forment l'axe polaire d'un disque lumineux. Tandis qu'au sol luttent, s'amusent et travaillent les hommes, éclairés, réchauffés.

plusieurs milliards d'années! Encore faut-il qu'il se maintienne «en bonne forme». L'évolution de notre atmosphère dépend si étroitement du Soleil que de minimes changements dans son fonctionnement pourraient avoir d'énormes répercussions climatiques.

❝J'ai vu, grâce au coronographe, jaillir de la couronne du Soleil, de la surface extérieure, les grandes gerbes des éruptions solaires.❞
Claude Roy

«Et pourtant, elle tourne !»

Deux mouvements principaux conditionnent le déplacement de la planète. La Terre tourne en un an autour du Soleil et en un jour sur elle-même.

Depuis les célèbres paroles de Galilée (1564-1642) répondant aux inquisiteurs, il est bien connu que la Terre tourne autour du Soleil. Sa trajectoire est une ellipse dont le Soleil occupe l'un des foyers, l'autre est vide. C'est pendant l'hiver de l'hémisphère Nord que la Terre est la plus proche du Soleil. Le 2 janvier, elle occupe la position la plus rapprochée, appelée périhélie. Ce jour-là, elle «n'est plus» qu'à 147 millions de kilomètres du Soleil et reçoit le rayonnement maximal. Car, contrairement aux apparences, le Soleil éclaire et chauffe davantage l'ensemble du globe durant l'hiver boréal qu'au cours de l'été. Mais, à pareille date, l'inclinaison des rayons solaires est telle qu'ils atteignent l'hémisphère Nord rasants et donc peu «efficaces». Le 5 juillet, la Terre occupe au contraire l'emplacement le plus éloigné, situé à 152 millions de kilomètres du Soleil : l'aphélie.

Le mouvement de la Terre sur elle-même s'effectue autour de l'axe des pôles, incliné de 66° 34' par rapport au plan de l'ellipse. Cette inclinaison est fixe tout au long de l'année. En conséquence, la planète reçoit les rayons du Soleil sous diverses orientations au fil des mois... d'où la ronde

Printemps et automne, hiver et été, les quatre saisons vues par un hêtre des Vosges, soumis aux contraintes du vent dominant.

des saisons et les inégalités entre les jours et les nuits. Lorsque le pôle Sud pointe en direction du Soleil, l'hémisphère Sud reçoit une énergie maximale : c'est l'été austral. L'hémisphère Nord entre alors dans l'hiver et le pôle Nord entame une longue nuit qui va durer la moitié de l'année. Six mois plus tard, le processus s'inverse. Le calendrier à base astronomique fait débuter les saisons aux solstices et aux équinoxes, c'est-à-dire en des points particuliers de la trajectoire de la Terre autour du Soleil.

La pellicule atmosphérique

L'air représente près de 98 % du poids de l'atmosphère, le surplus étant constitué d'eau et d'aérosols divers. L'air et l'eau sont les deux éléments indispensables à la présence de toute vie sur terre.

L'air sec est constitué par un mélange de plusieurs

Tiré de l'ouvrage de Kircher intitulé *Ars magna lucis et umbrae in mundi* (1645), ce dessin d'astronomie (page de gauche, en bas) représente une éclipse de soleil. Outre la mine réjouissante du Soleil, on remarque le cône d'ombre totale de couleur noire, ayant la Lune pour base, tandis que la Terre est éclairée partiellement. De chaque point de la Terre, on ne voit qu'une partie du Soleil.

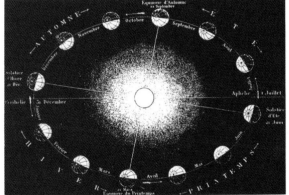

En tournant sur elle-même en vingt-quatre heures, la Terre crée nos jours et nos nuits. En tournant autour du Soleil en une année, elle confectionne nos saisons. Ci-contre, une gravure de *L'Atmosphère* de Camille Flammarion décrivant la translation de la Terre autour du Soleil.

gaz dont les proportions sont à peu près constantes : principalement l'azote (78,09 %), l'oxygène (20,95 %) et l'argon (0,93 %). Viennent ensuite le gaz carbonique, le néon, l'hélium, le krypton, l'hydrogène, le xénon, l'ozone et le radon (0,03 % à eux tous). Seules les teneurs en gaz carbonique et en ozone varient de manière significative en raison des activité humaines. De nombreux chercheurs et météorologistes pensent que ces fluctuations peuvent avoir des conséquences importantes sur le climat.

L'eau atmosphérique se présente essentiellement sous ses trois phases habituelles. La vapeur, gaz incolore et inodore, toujours présent dans l'atmosphère, constitue les quantités d'eau les plus importantes. L'eau liquide, principal composant des nuages, se présente sous forme de gouttelettes, plus

Un évaporomètre Piche, mesurant la quantité d'eau évaporée, et deux thermomètres : l'un, à lecture directe, donne la température de l'air sec ; l'autre (au réservoir relié à un tube rempli d'eau) indique celle de l'air humide ; la comparaison des deux permettant de calculer le taux de l'humidité de l'air. A gauche, sir William Herschel (1738-1822), qui s'est rendu célèbre par la découverte du rayonnement infrarouge.

ou moins grosses. Eau à l'état solide, les minuscules cristaux de glace, très minoritaires, sont souvent mélangés aux gouttelettes. Ils ne représentent qu'une très faible quantité d'eau.

Cette eau atmosphérique ne compte que comme une petite partie (2 %) dans le total d'eau disponible sur Terre, lui-même estimé à 1,4 milliard de kilomètres cubes, en tenant compte des océans, des calottes glaciaires, des lacs et des étangs.

Enfin, à ces constituants, il faut ajouter un certain nombre de poussières ou de particules solides et minuscules – cendres des volcans, sable ou grains de pollen –, qui jouent un rôle important dans les mécanismes atmosphériques.

Tropo, strato, méso, thermo

Le profil thermique de l'atmosphère met en évidence plusieurs couches superposées où les variations de la température, en fonction de l'altitude, ne vont pas dans le même sens :

La troposphère est la couche atmosphérique la plus voisine de la Terre. Son épaisseur varie de 7 kilomètres au pôle à une vingtaine à l'équateur. C'est le domaine des nuages. D'une façon générale, à l'intérieur de cette couche, la température décroît en moyenne de 6,5 °C tous les

Léon Teisserenc de Bort (1855-1913) fut à l'origine des lâchers de ballons-cerfs-volants. Il s'aperçut qu'à partir d'une certaine altitude, 10 kilomètres environ, la température cessait de décroître. Elle augmentait au contraire légèrement. Vérification après vérification, il dut se rendre à l'évidence : cette couche à altitude variable, quasi isotherme, existait bel et bien. La stratosphère était découverte. Le plan où s'inverse la baisse de la température, entre troposphère et stratosphère, prit le nom de tropopause.

Trois gaz principaux – azote, oxygène et argon – composent l'air, dans des proportions stables jusqu'à 80 kilomètres environ. En revanche, le pourcentage des autres gaz est très variable à petite échelle. Ainsi, la quantité de gaz carbonique peut augmenter considérablement à l'occasion d'un incendie de forêt.

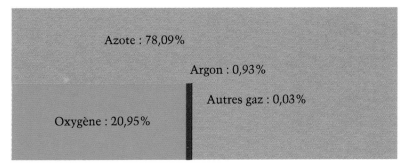

Azote : 78,09 %
Argon : 0,93 %
Autres gaz : 0,03 %
Oxygène : 20,95 %

1 000 mètres. A nos latitudes tempérées, le sommet de la troposphère, appelé tropopause, se situe entre 9 et 12 kilomètres. La température est alors de -55 °C à -60 °C.

La stratosphère est la couche immédiatement supérieure, d'une trentaine de kilomètres environ. Les évolutions de la température changent de sens. Elle croît de nouveau avec l'altitude jusqu'à 0 °C environ. Ce réchauffement est essentiellement dû à la présence d'ozone entre 15 et 40 kilomètres d'altitude.

Au-delà, on entre dans la mésosphère, où la température baisse progressivement jusqu'à -80 °C aux environs de 80 kilomètres d'altitude, puis finalement la thermosphère, où la chaleur augmente à nouveau jusqu'à 500 °C.

L'atmosphère «météorologique»

Pour décrire l'état de l'atmosphère, les météorologistes utilisent plusieurs paramètres. Parmi les plus importants : le taux d'humidité de l'air, la pression atmosphérique, la température.

Comme notre planète est sans cesse en mouvement, l'air qui l'entoure est chauffé très irrégulièrement par le Soleil. Son poids, et par conséquent sa pression, change d'un endroit à l'autre, d'un moment à l'autre. Si cette pression était répartie régulièrement, elle serait

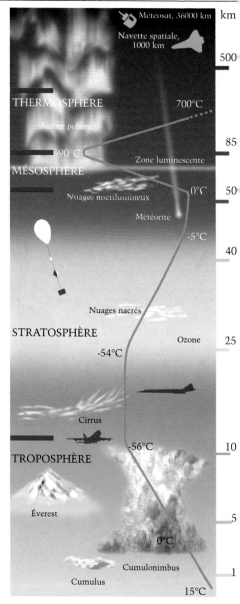

km

Météosat, 36000 km

Navette spatiale, 1000 km

500

THERMOSPHÈRE   700°C

Aurore polaire

85

-90°C

Zone luminescente

MÉSOSPHÈRE   0°C   50

Nuages noctilumineux

Météorite

-5°C

40

Nuages nacrés

STRATOSPHÈRE   Ozone 25

-54°C

Cirrus

-56°C   10

TROPOSPHÈRE

Éverest

5

0°C

Cumulonimbus   1

Cumulus   15°C

d'environ 1015 hectopascals au niveau de la mer, soit environ 1 kilogramme par centimètre carré. (L'hectopascal est l'unité de pression utilisée couramment.)

On appelle «anticyclone» une région de l'atmosphère où, à une même altitude, la pression atmosphérique est plus élevée que sur les régions voisines. A l'inverse, la «dépression» signale une faiblesse de la pression atmosphérique par rapport à celle mesurée sur les régions avoisinantes. La température est le fidèle reflet de tous les échanges atmosphériques de chaleur.

Si l'atmosphère était parfaitement stable, inerte, elle accompagnerait gentiment la Terre au cours de sa rotation; l'ensemble Terre-Atmosphère apparaîtrait comme un ensemble parfaitement figé; le vent n'existerait pas! Or l'atmosphère est au contraire fort remuante. Cette agitation atmosphérique à la surface de la planète a deux principaux responsables : la distribution très inégale de l'énergie solaire et la rotation de la Terre.

Le grand responsable de la climatisation

Le bilan de l'énergie solaire reçue et perdue par notre Terre fait apparaître de criantes inégalités selon les régions du globe. Alors que les régions équatoriales réalisent un véritable «bénéfice énergétique», les régions polaires perdent plus d'énergie qu'elles n'en reçoivent! De telles entreprises, perpétuellement déficitaires, ne sont pas viables. Si tel était le cas, la température devrait s'abaisser toujours, s'abaisser encore... De même, il est impensable que les régions

S aisissant lever de soleil sur l'Afrique du Sud photographié par Skylab (ci-dessus). La bande sombre entre deux zones colorées est essentiellement constituée de cristaux d'acide sulfurique provenant de l'éruption du Pinatubo en 1991. Cette couche d'aérosols disperse et scinde la lumière solaire en deux parties : l'une atteint la surface terrestre et occasionne des levers de soleil très colorés; l'autre, renvoyée vers l'espace, subit une dispersion secondaire et prend une couleur blanche.

A lors que la pression atmosphérique décroît régulièrement avec l'altitude, les évolutions thermiques sont plus complexes, liées aux rayonnements solaire ou terrestre, qui se conjuguent ou se contrarient suivant l'altitude et les moments de la journée. 50 % de la masse atmosphérique sont concentrés en dessous de 5 kilomètres d'altitude.

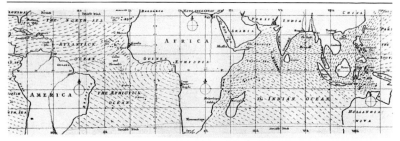

équatoriales puissent capitaliser à elles seules, jour après jour, une grande partie de l'énergie reçue par la Terre.

D'une manière ou d'une autre, il faut qu'un équilibre s'établisse. Les régions équatoriales doivent céder de la chaleur aux régions polaires. Seuls des fluides sont capables d'organiser et d'assurer de tels échanges. Sans minimiser l'influence des courants marins, c'est bien l'air atmosphérique qui joue le rôle principal, en tout cas le plus dynamique.

Si la Terre était immobile, on pourrait imaginer un mouvement convectif, c'est-à-dire un simple aller et retour. L'air s'échaufferait au niveau de l'équateur, s'élèverait en altitude et se dirigerait ensuite vers les régions polaires. Devenu froid et lourd, il redescendrait au niveau du pôle. Il prendrait alors à nouveau la route de l'équateur afin de retrouver les calories perdues. En pareil cas, le vent du nord devrait souffler en permanence du pôle jusqu'à l'équateur. Nos régions, dites tempérées, n'auraient droit qu'à une fraîcheur constante, humide et pénétrante, sous un ciel désespérément gris.

L'air fait des boucles entre les pôles et l'équateur

En 1735, l'astronome anglais George Hadley imagina que l'air faisait un tel parcours. Tenant compte de la rotation de la Terre, il expliqua la formation des alizés. Mais, l'air chaud équatorial ne pouvant faire

Astronome anglais, Edmond Halley (ci-contre) publia en 1686 une première carte météorologique pour expliquer la circulation des vents (ci-dessus). Sans en comprendre le mécanisme, Halley avait remarqué que les variations du vent étaient en liaison directe avec celles du baromètre. Il émit une théorie, audacieuse pour l'époque, selon laquelle

Cellule des latitudes moyennes

Cellules de Hadley

l'air chaud qui s'élève en altitude est remplacé par de l'air plus frais, ce mouvement donnant naissance au vent.

Cellule des latitudes moyennes

d'un seul coup le voyage jusqu'au pôle, son schéma fut complété par deux autres boucles. La première d'entre elles est relativement facile à décrire : l'air chaud s'élève à l'équateur, prend de l'altitude, fait route vers le pôle. Mais, chemin faisant, son refroidissement est rapide. Devenu plus frais que l'air environnant, et de ce fait plus lourd, il perd de l'altitude, descend vers la surface et, sans avoir atteint les régions polaires, reprend la route en direction de l'équateur pour se réchauffer à nouveau.

Au voisinage du pôle fonctionne un mécanisme analogue. Partant de là, l'air froid et lourd fait un long voyage en surface à la quête de quelques degrés supplémentaires. Il se réchauffe peu à peu au contact des surfaces océaniques; trop pour continuer le voyage. Il s'élève et reprend alors la direction du pôle pour se refroidir à nouveau. L'air polaire n'arrive pas à destination. C'est ainsi que l'on assiste à la formation d'une deuxième boucle, ou «cellule de Hadley».

Selon Hadley, la circulation des vents pouvait s'expliquer par un schéma simple, trop simple, «un véritable conte de fées», dira un grand météorologiste britannique, sir Napier Shaw. Mais pour mieux expliquer la circulation des vents en altitude, plusieurs météorologistes s'attachèrent successivement à le perfectionner. Plus conforme à la réalité (ci-dessous), il est devenu bien plus complexe. C'en est fini du conte de fées!

Cellules polaires

Vents d'est

Front polaire

Vents d'ouest

Calmes subtropicaux

Alizés de nord-est

Calmes équatoriaux

Alizés de sud-est

Calmes subtropicaux

Vents d'ouest

Front polaire

Vents d'est

Cellules polaires

Le schéma de la circulation générale des vents, de George Hadley, publié en 1735 (ci-dessus en bistre), donnait une explication des échanges atmosphériques suivant les méridiens. Il envisageait fort justement des mouvements ascendants à l'équateur et des mouvements descendants aux pôles.

Pour compléter le schéma, l'instituteur américain William Ferrel fit état d'une troisième boucle dite «à circulation inversée». Quelques années plus tard, en 1888, l'Allemand von Helmholtz fit une description particulièrement réaliste des échanges dc chaleur le long des méridiens.

Vu qu'«elle tourne», tout se complique

Sans démentir les schémas de Hadley et de Ferrel, la rotation de la Terre sur elle-même vient en grande partie les modifier et leur donner un dynamisme surprenant.

Aux environs de l'équateur, tout se passe comme prévu : l'air le plus chaud s'élève en altitude et provoque la formation d'impressionnants nuages orageux, disposés tout autour du globe. Les photographies prises par satellite montrent parfaitement la présence de cette véritable ceinture nuageuse, le fameux «pot-au-noir» tant redouté par les pilotes de l'aéropostale. Mais tout se complique

Le courant-jet subtropical, photographié au-dessus de la vallée du Nil et de la mer Rouge, est matérialisé par un long ruban blanchâtre. Cette ceinture nuageuse marque la limite nord atteinte par l'air chaud équatorial. Les vents d'altitude, extrêmement forts à l'intérieur de ce courant, sont utilisés dans la mesure du possible par les pilotes pour réaliser de substantielles économies de carburant.

singulièrement quand l'air le plus chaud commence à prendre la route du pôle. Il ne parvient pas à se diriger en droite ligne vers le nord. La rotation de la Terre sur elle-même (environ 1 670 kilomètres à l'heure à l'équateur) l'entraîne et le dévie de sa route initiale. La cellule intertropicale de Hadley – c'est-à-dire celle située au voisinage de l'équateur – est déformée. La rotation de la Terre l'empêche de prendre de l'extension vers le nord. L'air est contraint de donner à son mouvement un sens ouest-est.

La formation du courant-jet

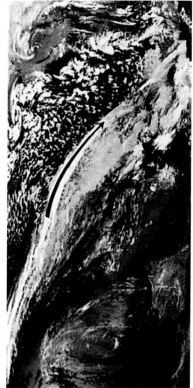

Au fur et à mesure qu'il se rapproche des régions polaires, la vitesse de rotation de l'air autour de l'axe des pôles augmente de plus en plus. Pour bien comprendre l'origine de cette accélération, il suffit de comparer son mouvement à celui d'un patineur : quand ce dernier entre sur la piste, en écartant largement les bras, il tournoie avec grâce et lenteur; mais lorsqu'il ramène les bras le long de son corps, c'est-à-dire le long de son axe de rotation, il se transforme en une véritable toupie.

Ainsi, aux environs de la latitude 30°, les vents d'altitude atteignent plus de 450 kilomètres à l'heure. Cette vitesse infernale empêche l'air chaud de poursuivre son mouvement en direction du pôle. Appelé «courant-jet», ce courant d'altitude devient si rapide qu'il constitue un véritable barrage, impossible à franchir. Si rien ne vient le désorganiser, l'air chaud équatorial ne dépassera jamais cette limite.

A mesure que l'air chaud se dirige vers les régions polaires en suivant la courbure de la Terre, il se rapproche aussi de l'axe des pôles. Sa vitesse s'accélère, comme celle du patineur effectuant une vrille. Découvert par les pilotes de guerre américains, le courant-jet joue un rôle capital dans la formation des systèmes dépressionnaires. Ses ondulations peuvent lui donner, localement, une orientation sud-nord.

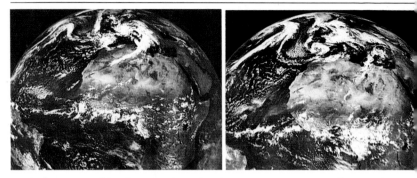

Turbulences en altitude engendrent les dépressions

Pendant ce temps, le Soleil accable imperturbablement les régions équatoriales d'une énergie calorifique excessive. Cette formidable réserve de chaleur contribue à renforcer encore la puissance

D'une longueur de plusieurs milliers de kilomètres sur une épaisseur de quelques

Air froid

Air chaud

de tous ces phénomènes. L'air chaud essaie à tout prix de gagner le nord. Le courant d'altitude devient de plus en plus violent, si violent que des turbulences se produisent, comparables à celles du courant d'une rivière quand il devient trop rapide. Au fil des heures, des petits tourbillons se développent, prennent plus ou moins d'importance et donnent naissance aux dépressions. En certaines occasions, ces tourbillons peuvent être provoqués par les sommets montagneux les plus élevés de la planète, tels les Rocheuses ou la chaîne de l'Himalaya. Il en résulte une disposition constante des dépressions.

Ces dépressions sont en réalité des zones d'échange où se côtoient l'air équatorial et l'air polaire. L'air chaud, venu du sud, est «aspiré» vers le nord. L'air froid, venu du nord, peut s'écouler en direction des régions tropicales. Grâce aux dépressions, l'un et

kilomètres seulement, le courant-jet forme une sorte de tube aplati. Son altitude se situe entre 7 et 10 000 mètres au-dessus de nos pays tempérés, entre 10 et 13 000 mètres au voisinage des tropiques. Des vents violents, provoqués par de forts contrastes thermiques, soufflent à l'intérieur de ce tube. Les nuages se concentrent dans les zones de turbulences, produisant des amas nuageux aux contours caractéristiques. Peu à peu les turbulences prennent de l'ampleur, la dépression «se creuse», la perturbation nuageuse se forme.

l'autre parviennent à franchir le barrage constitué par le courant-jet. Autrement dit, les dépressions permettent les échanges de chaleur entre les régions équatoriales et les régions polaires, nécessaires au bon équilibre de notre atmosphère.

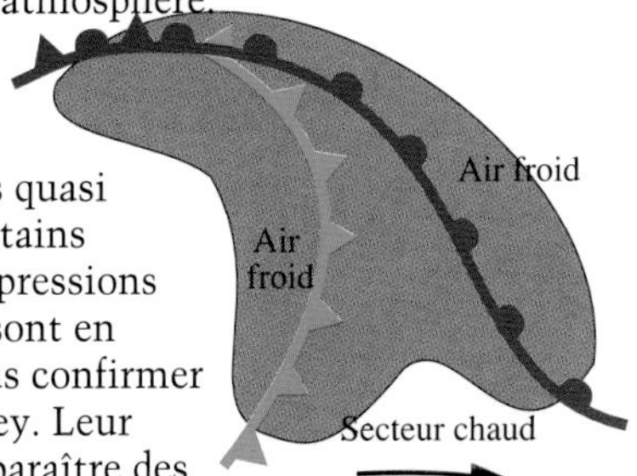

L'alternance des zones climatiques

Les emplacements quasi permanents de certains anticyclones et dépressions sur notre planète sont en grande partie venus confirmer la théorie de Hadley. Leur répartition fait apparaître des

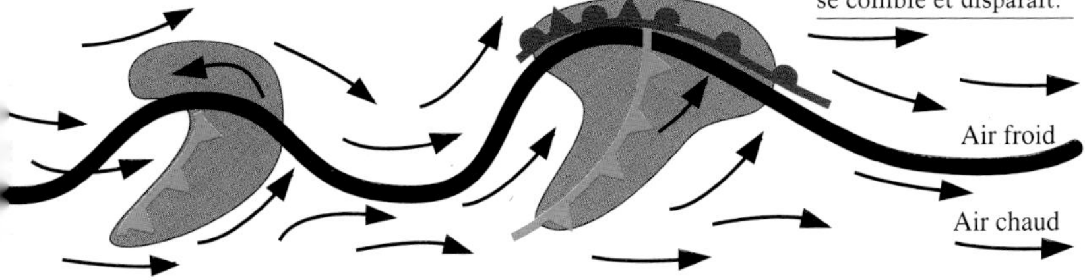

L'air froid se déplace rapidement et s'engouffre dans la zone dépressionnaire. Front froid et front chaud se confondent. L'énergie de la perturbation, jusqu'alors engendrée par de forts contrastes de températures, s'atténue. Le front devient stationnaire. Son activité diminue, s'annule; on dit qu'il se «frontolyse». La pression atmosphérique remonte, la dépression se comble et disparaît.

zones particularisées selon les différents niveaux de latitude. Si l'on se place dans l'hémisphère Nord, on peut délimiter du sud au nord :

Une zone dépressionnaire équatoriale, réputée pour ses pluies abondantes. Ses migrations en latitude peuvent atteindre 1 000 à 2 000 kilomètres dans le même hémisphère, ou d'un hémisphère à l'autre. Elles conditionnent le climat sur de vastes étendues du globe. Il faut leur attribuer ainsi la responsabilité des cruels épisodes de sécheresse qui affectent périodiquement les pays du Sahel.

Une zone anticyclonique subtropicale entre 25° et 35° de latitude, où se situent de grandes contrées désertiques tels le Sahara ou le désert du Kalahari. Cette zone correspond à la branche descendante de la cellule de Hadley. L'air qui «descend» en permanence sur ces déserts empêche la formation des nuages. C'est la cause essentielle du manque de pluie, avant même la faiblesse du taux d'humidité.

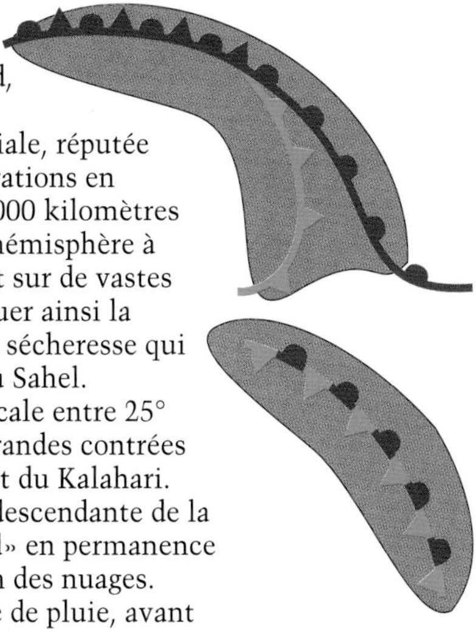

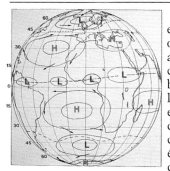

Une zone tempérée entre 35° et 50°, où la position des anticyclones et dépressions n'est pas bien définie. Les uns et les autres se forment en alternance le long d'un cercle de latitude donné, en liaison étroite avec la position du courant-jet.

Une zone dépressionnaire, plus ou moins fluctuante en fonction des saisons, située entre les parallèles 50° et 60°.

Un anticyclone polaire toujours présent, plus ou moins décalé selon les saisons.

On retrouve une disposition quasi symétrique des anticyclones et des dépressions dans l'hémisphère Sud.

Le temps des anticyclones et celui des dépressions

En général très attendu, l'anticyclone est apprécié pour son calme et sa stabilité. En été, il sait offrir de belles journées ensoleillées. Mais, en d'autres saisons, il peut également apporter un temps gris, couvert, maussade pendant des semaines, voire des mois. Atmosphère trop calme, sans le moindre souffle de vent, les brouillards d'hiver ont souvent bien du mal à se dissiper.

En pareil cas, la température n'obéit généralement plus aux lois habituelles : elle ne décroît pas avec l'altitude mais elle augmente. Ce phénomène est appelé «inversion des températures». Selon la saison et les températures, l'épaisseur de la couche d'inversion est très variable : de quelques mètres jusqu'à 1 000, voire 2 000. Elle constitue un véritable couvercle thermique, une sorte de barrage qui s'oppose à l'ascension de l'air chaud et des fumées. Résultat : non seulement le gris du ciel persiste plus qu'à l'ordinaire mais les polluants se concentrent sous cette couche d'inversion. Le taux de pollution augmente.

S'il est vrai que les anticyclones ne donnent pas systématiquement du beau temps, il serait faux de prétendre que les dépressions sont synonymes de mauvais temps. Certaines dépressions sont fort capables d'offrir de bons moments. Quand le défilé des perturbations n'est pas trop rapide, le ciel de traîne offre de durables périodes ensoleillées. Le passage récent de la pluie a nettoyé l'atmosphère de toutes ses impuretés. Fini les brumes et les brouillards, la visibilité devient excellente, les rayons du Soleil plus ardents. On apprécie d'autant plus l'amélioration que le souvenir de la pluie est encore dans toutes les mémoires.

Les mouvements ascendants de l'air au niveau des régions équatoriales provoquent la formation d'une ceinture dépressionnaire (page de gauche). Plus au nord, les mouvements de l'air sont au contraire descendants, et l'on observe une zone anticyclonique sur les régions subtropicales, où se trouvent les grands déserts de la planète.

Dans le désert du Kalahari (ci-contre), l'ensoleillement dépasse 4 000 heures par an. L'humidité de l'air, très faible, peut avoisiner un taux de 10 %. L'absence de vapeur d'eau favorise tant le refroidissement nocturne que les écarts de températures entre le jour et la nuit provoquent l'éclatement des roches, qui se transforment peu à peu en sable et en poussières.

Particulièrement inhospitalier, le climat polaire connaît des températures de -50 °C en hiver, et qui dépassent rarement 0 °C en été. Le faible taux d'humidité de l'air ne permet pas à la neige de se former en gros flocons. C'est une neige constituée par de minuscules cristaux de glace qui tombe presque sans arrêt. Rares sont les espèces animales qui – tel le manchot empereur – peuvent survivre dans un pareil environnement.

Compte tenu de la dimension infinitésimale des gouttelettes d'eau à l'intérieur du nuage, il en faut au moins un million pour fabriquer une seule goutte de pluie. Comment s'agglomèrent-elles, au gré des perturbations, pour former la pluie, la bruine, la neige, la grêle ou le grésil?

CHAPITRE III
LE JEU DES NUAGES ET DE LA PLUIE

"Eh! Qu'aimes-tu donc, extraordinaire étranger? – J'aime les nuages... les nuages qui passent... là-bas... là-bas... les merveilleux nuages!"
Charles Baudelaire,
«L'Etranger»

Ils sont des milliers et des milliers dans le monde, comme ce météorologiste amateur anglais à recueillir, jour après jour, les quantités de pluie reçues. Ce travail, qui requiert une patience infinie, est peu à peu supplanté par les stations automatiques.

L'air transporte sans discontinuer de la vapeur d'eau à la surface de la planète. Sa capacité de transport est limitée et dépend étroitement de sa température. Plus il est chaud, plus il peut en contenir. Mais au-delà d'une certaine quantité bien déterminée, il sature. La vapeur d'eau se condense en fines gouttelettes libérant la chaleur qui lui permet de poursuivre son ascension. Or, l'air voyage en permanence. Selon le moment et l'endroit, il se réchauffe ou se refroidit. Dès que le refroidissement est trop important, le phénomène de condensation se déclenche.

En latin dans le ciel

En fait, les gouttelettes, résultant de la condensation, ne peuvent se former que si elles disposent d'un petit support matériel, des «noyaux de condensation». Il s'agit en général de petits cristaux de sel, de particules de poussière ou de sable, qui existent en abondance à la surface de la Terre, mais qui viennent parfois à faire défaut dans les hauteurs de l'atmosphère. Quand il ne contient aucune impureté physique, l'air atmosphérique est capable de se surpasser. Il peut contenir plus de vapeur d'eau qu'il n'est

Tourmenté ou calme, le ciel s'exprime par l'intermédiaire des nuages, qui lui donnent vie et couleurs. Pierre de Valenciennes a brossé une magnifique *Etude de ciel* (ci-dessus) chargé de cumulus et de stratocumulus. La majeure partie des gouttelettes en suspension dans l'atmosphère provient de l'eau salée des mers ou des océans. Le cycle de l'eau agit comme une gigantesque usine naturelle capable de transformer 500 000 km^3 d'eau de mer en vapeur, puis en eau douce. Ce cycle ne concerne qu'une fraction minime de l'eau du globe (1,4 milliard de km^3), laquelle est demeurée pratiquement constante depuis l'origine des temps.

théoriquement possible. Il se trouve alors en état de sursaturation.

Amas de vapeur d'eau condensée en suspension dans l'atmosphère, les nuages, quel que soit l'endroit d'où on les observe sur la planète, présentent un

nombre limité de formes, chacune d'elles laissant présager le temps des heures à venir. Luke Howard, pharmacien, météorologiste à ses heures et, en bon Anglais, aquarelliste de talent, établit en 1803 les bases de la classification des nuages encore en vigueur de nos jours. Il leur donna des noms latins : *cirrus* («boucle de cheveux») pour les nuages supérieurs, d'aspect fibreux; *cumulus* («amas») pour les nuages bourgeonnants, à la base plus proche du sol, et *stratus* («étendu») pour les couches nuageuses horizontales. A partir de ces trois catégories principales, dix grands types de nuages classiques furent répertoriées : cirrus, cirrostratus, cirrocumulus, altocumulus, altotratus, nimbostratus, stratus, stratocumulus, cumulus et cumulonimbus.

Le mécanisme des précipitations

Presque toutes les précipitations prennent naissance dans des nuages à température négative où coexistent à la fois des cristaux de glace et de minuscules gouttelettes d'eau surfondue. On pourrait penser qu'en dessous de 0 °C l'eau est systématiquement à l'état solide.

Les nuages prennent les formes les plus diverses, les plus étranges et les plus belles. Certains, tels les nuages lenticulaires (ci-contre), peuvent tracer dans le ciel comme de gigantesques coups de pinceau. En 1802, le chevalier de Lamarck, célèbre naturaliste français, fit la première tentative de classification des nuages. Il en distinguait cinq formes essentielles : en voile, attroupés, pommelés, en balayures et groupés. Son travail tomba dans l'oubli. L'Anglais Luke Howard (ci-dessous) connut un plus grand succès en attribuant aux nuages des noms latins. En 1887, le météorologiste Abercromby fit le tour du monde pour s'assurer que «les nuages étaient bien partout les mêmes». Le système d'Howard fut recommandé à la conférence inernationale de Munich en 1891.

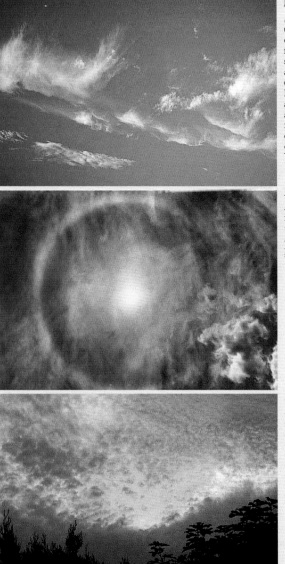

Nuages élevés, ciel voilé

Sous la forme de filaments blancs délicats, d'aspect fibreux, les cirrus (*Ci*) se déplacent à une altitude élevée, vers 6 000 à 8 000 mètres. Ils ressemblent un peu aux traînées d'avion à réaction. Jamais menaçants, ils sont constitués uniquement de cristaux de glace.

Les cirrostratus (*Cs*) forment un voile nuageux blanchâtre, à travers lequel on peut apercevoir un soleil pâle et blafard.

Petits éléments, plus ou moins soudés entre eux, les cirrocumulus (*Cc*) sont constitués par de minuscules cristaux de glace. Lorsqu'ils envahissent le ciel, l'arrivée d'une perturbation est proche.

Nuages moyens, ciel couvert

Les altocumulus (*Ac*) évoluent entre 2 000 et 5 000 mètres d'altitude et se présentent sous la forme de galets, de rouleaux plus ou moins fibreux. Ils sont composés de gouttelettes d'eau. Souvent présents avant les orages, ils confèrent au ciel un aspect chaotique.

Formant une couche nuageuse plus ou moins dense, les altostratus (*As*) offrent un aspect à peu près uniforme : le temps se couvre, la pluie arrive.

Assez épais pour rendre le ciel gris, sombre et menaçant, les nimbostratus font disparaître le soleil. La visibilité devient médiocre ou mauvaise; la pluie est là!

Nuages bas, ciel gris

Ils forment une couche nuageuse basse, grise, uniforme. Temps triste, maussade; l'atmosphère est humide avec, çà et là, de la bruine ou des crachins. Les stratus (*St*) sont mal aimés.

Pas tout à fait cumulus, plus tout à fait stratus, les stratocumulus (*Sc*) sont des nuages intermédiaires. Ils se présentent sous forme de gros rouleaux placés côte à côte. Le soleil essaie avec plus ou moins de succès de passer au travers. Ils peuvent donner un peu de pluie ou quelques flocons de neige en hiver.

Avec les nuages à développement vertical, ciel instable

La base des cumulus (*Cu*) se situe à quelques centaines de mètres du sol. Leur sommet peut atteindre une altitude de 5 000 à 6 000 mètres. Ils ont l'aspect de gros paquets de coton blanc. Leur partie supérieure ressemble souvent à un chou-fleur. Ils se développent sur un fond de ciel bleu. Quand ils sont de taille réduite ou moyenne, ils sont en principe formés de gouttelettes d'eau. En revanche, quand leur volume devient imposant, la partie supérieure du nuage, se trouvant dans une zone plus froide, est alors constituée de fins cristaux de glace. De tels cumulus donnent des averses.

Généralement très sombre, la base du cumulonimbus (*Cb*) peut être déchiquetée, effilochée ou comporter des *mama* (ci-contre, au centre), poches très grises, presque noires. Leur partie supérieure semble se heurter à un invisible plafond et s'étale en une sorte d'enclume (ci-contre). Les cumulonimbus peuvent provoquer des orages.

FIG. 271. — Grêlons gros comme des oranges.

Or, véritable curiosité de la nature, une eau liquide à température négative – «surfondue» – existe bel et bien dans l'atmosphère. Parfaitement instable, au moindre choc, elle se congèle immédiatement en fins cristaux de glace. Trois étapes physiques essentielles permettent à ces derniers de se développer :

La première, appelée transfert, consiste en une distillation des gouttelettes au bénéfice des cristaux. Leurs dimensions peuvent ainsi se multiplier par dix, de sorte que, devenus relativement lourds, ces germes de glace commencent à tomber. Ensuite, au cours de leur chute, les cristaux poursuivent leur croissance par coalescence. Ils captent de nombreuses gouttelettes d'eau surfondue et grossissent encore. De plus en plus gros, de plus en plus lourds, leur chute s'accélère. De véritables agglomérats de cristaux commencent à se former : des flocons de neige. Enfin, la chute de ces flocons en direction de notre

Terre ne s'effectue pas toujours dans des conditions de température identiques. La nature des précipitations obtenues – pluie, neige ou grêle – est la résultante de leurs aventures et mésaventures au cours de leur voyage en direction de la Terre.

Petits comme des billes ou gros comme de belles oranges, les grêlons sont de taille variable. Le spécimen le plus impressionnant, recueilli au Kazakhstan en 1959, ne pesait pas moins de 1,9 kilo.

Neige silencieuse et grêle redoutée

Quand les flocons de neige ne traversent pas de couches d'air à température positive, ou lorsque cette traversée est trop rapide, ils ne fondent pas et atteignent le sol sous forme de neige. Ils sont composés d'un assemblage géométrique de cristaux de glace. Ils emprisonnent une forte proportion d'air si bien que la densité de la neige fraîche est bien moindre – environ dix fois – que celle de l'eau. On admet généralement qu'un centimètre de neige fraîche équivaut sensiblement à un millimètre de pluie.

En d'autres circonstances, la captation des gouttelettes par les cristaux de glace est si rapide que la cristallisation n'a pas le temps de se produire. Ce sont alors de véritables globules de glace qui se forment à la place des flocons. Quand

L'eau atmosphérique subit, en fonction de la température des couches d'air traversées, diverses transformations qui la font passer de l'état de vapeur à l'état solide ou liquide. La température du sol ne joue qu'un rôle secondaire dans l'aspect que prennent ces précipitations.

ils arrivent jusqu'à nous, ces globules de glace reçoivent des noms différents selon

Invariablement structurés sous forme d'étoiles hexagonales, les cristaux de neige s'agglomèrent pendant leur descente et donnent naissance aux flocons.

leur taille : «grêle» ou «grêlons» si leur diamètre s'échelonne de 5 à 50 millimètres, ou davantage; «grésil» quand ils sont très fins, sous forme de particules de glace, transparentes ou translucides, le plus souvent de forme sphérique, d'un diamètre inférieur à 5 millimètres.

Afin de prévenir les avalanches, les météorologistes de la station de Tyuya-Ashu (Sibérie) étudient la composition et la structure du manteau neigeux pour mieux en déterminer la résistance.

Pluie nécessaire

Dans les cas les plus fréquents, les flocons de neige
fondent rapidement pendant leur chute. Ils se
transforment en gouttes de pluie. Ces gouttes
s'amalgament au cours de leur chute. Quand elles
atteignent une dimension supérieure à 6 millimètres,
elles éclatent en donnant des gouttes plus petites qui
permettront au processus de se renouveler. Cette
fragmentation permet à un seul germe de départ
de donner naissance à plusieurs gouttes de pluie.

Les gouttes de pluie, relativement éloignées les
unes des autres, ont un diamètre compris entre
0,5 et 6 millimètres. La bruine est constituée de
gouttelettes très fines, au diamètre inférieur
à 0,5 millimètre.

Rosée et givre ignorent le monde des nuages

Quand les surfaces au sol se refroidissent
suffisamment, la vapeur d'eau contenue dans l'air se
condense à leur contact. De minuscules gouttelettes
se déposent alors. C'est au petit matin, après une nuit
fraîche et calme, que les rendez-vous avec la rosée
sont les plus fréquents.

Lorsque le refroidissement est tel que la
température des surfaces devient inférieure à 0 °C,
la vapeur d'eau se congèle instantanément à leur

contact et forme le givre. Dans les deux cas, il s'agit non de précipitations mais d'un dépôt de particules.

La rosée qui se dépose délicatement sur la toile de l'araignée se forme par temps calme, sous un ciel clair. Ces conditions favorisent l'abaissement

Front chaud, front froid, front occlus

Au sein de cette véritable zone de libre-échange que constitue une dépression, l'air froid d'origine polaire et l'air chaud d'origine équatoriale se retrouvent véritablement face à face. L'air chaud essaie de se frayer un chemin vers le nord. Il s'enfonce difficilement dans la masse d'air froid en formant une entaille et, plus léger, y entame une véritable ascension. En s'élevant au sein de la dépression, il se refroidit. La vapeur d'eau qu'il contient se condense sous forme de gouttelettes et donne naissance aux nuages tout au long de la surface de contact air chaud/air froid. Cette zone nuageuse constitue un front chaud.

Simultanément, mais un peu plus à l'ouest, l'air froid commence à s'écouler vers le sud. Au cours de son déplacement, il «bouscule» et rejette en altitude l'air chaud qui se trouve au-devant de lui. Cette arrivée d'air chaud en altitude et la condensation de la vapeur d'eau qui en résulte provoquent la formation de nuages le long de la zone de contact : il s'agit alors d'un front froid.

En certaines circonstances, l'air froid s'écoule plus rapidement vers le sud que l'air chaud ne parvient à remonter vers le nord. Dans ce cas, le front froid

de la température pendant la nuit. Elles sont le plus souvent réunies par régime anticyclonique.

Alors que les régions équatoriales reçoivent annuellement des quantités d'eau qui peuvent atteindre 3 à 4 mètres, d'autres régions du monde manquent cruellement de pluies. Les contrées désertiques restent parfois une dizaine d'années sans en voir une seule goutte. Les pays tempérés subissent d'importantes variations climatiques qui font succéder de cruelles sécheresses aux périodes d'inondations. En témoigne le lit du Rhin desséché et craquelé en 1952 (page de gauche, en bas).

rattrape le front chaud qu'il rejette en altitude.
On assiste alors à la formation d'un front occlus.
C'est ainsi que se développent des systèmes
nuageux de très grande étendue : plusieurs milliers
de kilomètres de longueur sur quelques centaines
de kilomètres de largeur.

Et passe la perturbation

Tout cet ensemble – front chaud, front froid et front
occlus – constitue la perturbation. Connue sous le
nom de «théorie norvégienne», la description des
perturbations météorologiques fut mise au point par

Les trois cartes
isobariques ci-contre
résument la situation de
trois jours successifs.
Avec le courant d'ouest
bien établi en altitude,
une «famille de
perturbations» défile sur
l'Europe occidentale. Le
premier jour (à gauche),
l'une d'entre elles
achève de traverser
la France. Le deuxième
jour (ci-contre), les
pluies s'éloignent.
Pendant ce temps,
sur l'Atlantique,
une nouvelle zone
pluvieuse s'approche.
Au matin du troisième
jour (à droite), le vent
du sud se renforce sur
les côtes, le baromètre
baisse, le ciel se couvre,
la pluie se déclenche.

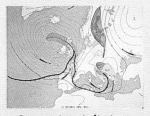

des météorologistes norvégiens, Vilhelm Bjerknes et Halvor Solberg, en 1917, soit bien avant l'avènement des photos des satellites, qui lui apportèrent une confirmation éclatante.

On parvient à distinguer, dans chaque perturbation, des zones bien caractéristiques aux dénominations, désormais classiques, de tête, corps, traîne ou zone de liaison. Le passage de chacune de ces zones se traduit par une modification immédiate des conditions météorologiques : aspect du ciel, pression atmosphérique, orientation du vent, température…

A nos latitudes, trois fois sur quatre, les dépressions viennent de l'ouest, beaucoup plus rarement du nord ou du sud, plus rarement encore de l'est. C'est l'une des conséquences de la circulation générale des vents

Zones de pression atmosphérique élevée, les anticyclones sont signalés par la lettre A. A l'inverse, la lettre D signifie les dépressions. Les lignes isobares sont tracées de 5 en 5 hectopascals. Arrondis, pointus, bleus et rouges, les quatre symboles figurés ci-dessus représentent (de haut en bas) un front froid, un front chaud, une occlusion et un front stationnaire.

en altitude. Pour mieux décrire ces phénomènes, on se placera volontairement dans le cas, le plus fréquent, de l'arrivée d'une perturbation océanique.

Brumes et brouillards sont constitués par de très petites gouttelettes d'eau en suspension dans l'air qui réduisent la visibilité. Quand celle-ci est inférieure à 5 kilomètres, il s'agit de brumes; quand elle devient inférieure à 1 kilomètre, c'est du brouillard. Quand les gouttelettes sont à température négative (eau surfondue), elles gèlent au contact des objets : c'est le brouillard givrant, dangereux pour les automobilistes.

Arrivée de la tête : le ciel se voile

Les premiers nuages à se manifester sont les cirrus. Ils se déplacent à haute altitude et se présentent sous la forme de crochets, de griffes. Très fins, ils passent bien souvent inaperçus et ne parviennent même pas à cacher le Soleil.

La pression atmosphérique commence à baisser. Seuls les observateurs les plus attentifs remarquent ce changement de tendance du baromètre. Le vent s'oriente au sud ou au sud-est. Selon les régions, cette nouvelle orientation du vent s'accompagne de phénomènes caractéristiques : les brumes se dissipent, l'odeur de l'usine proche devient envahissante, le son des cloches du village voisin plus distinct qu'à l'ordinaire, etc.

La température, elle, est soumise à diverses influences qui n'hésitent pas à se contrarier. En été, par exemple, avec l'orientation du vent au sud, elle a tendance à s'élever. La formation progressive du voile nuageux vient ensuite contrarier cette hausse. En hiver, cette même présence des nuages empêche le sol de rayonner et de perdre sa chaleur au profit de la haute atmosphère. Dans ce cas, la présence d'une couche nuageuse contribue au contraire à faire monter la température.

Les heures passent… Peu à peu les nuages se soudent. Ils prennent la forme d'un voile léger et transparent, constitué de cirrostratus auxquels se mêlent plus ou moins des cirrocumulus.

Les cirrus sont souvent des signes avant-coureurs de l'arrivée de la pluie. D'abord isolés, en forme de duvets légers, ils s'intensifient dans les hautes couches de l'atmosphère. Peu à peu, ils s'organisent en bandes régulières qui peuvent atteindre une dizaine de kilomètres de longueur. Ces bandes nuageuses (à gauche, au-dessus d'une tour de Nîmes) se sont vu attribuer les noms pittoresques de «queues-de-chat», «queues-de-cheval» ou bien encore «macchabées». Par la suite, ces traînées nuageuses se soudent entre elles pour former un voile régulier de cirrostratus.

Soudain s'est épanouie une multitude de parapluies, tentant de protéger les spectateurs d'un tournoi de tennis à Wimbledon (ci-dessous).

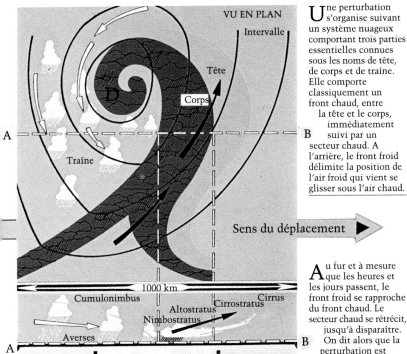

VU EN PLAN

Intervalle

Tête

Corps

D

A ——————————— B

Traîne

Sens du déplacement

1000 km

Cumulonimbus   Cirrus
          Altostratus Cirrostratus
       Nimbostratus

Averses

A • • B

Une perturbation s'organise suivant un système nuageux comportant trois parties essentielles connues sous les noms de tête, de corps et de traîne. Elle comporte classiquement un front chaud, entre la tête et le corps, immédiatement suivi par un secteur chaud. A l'arrière, le front froid délimite la position de l'air froid qui vient se glisser sous l'air chaud.

Au fur et à mesure que les heures et les jours passent, le front froid se rapproche du front chaud. Le secteur chaud se rétrécit, jusqu'à disparaître. On dit alors que la perturbation est occluse. Le passage du corps de la perturbation s'accompagne fréquemment de pluie. Souvent les premières gouttes qui s'échappent des nuages s'évaporent avant même d'avoir atteint le sol. Ces chutes de pluie forment, au-dessous des nuages, des traînées obliques souvent visibles à l'œil nu, appelées «virga». Par la suite, la couche nuageuse continue à s'épaissir, l'atmosphère devient de plus en plus humide, les gouttes atteignent le sol.

Pendant ce temps, la descente du baromètre s'accélère. L'air devient plus limpide, la visibilité s'améliore. Dans les régions au relief tourmenté, les montagnes semblent «se rapprocher». C'est alors que se vérifie la pertinence du dicton «Grande visibilité, eau annoncée».

Avec le corps, tombe la pluie

Les nuages deviennent plus épais. Ils évoluent peu à peu vers une couche dense et grisâtre d'altostratus. Les premières gouttes de pluie apparaissent. La couche nuageuse devient plus grise encore. Le nimbostratus, nuage de pluie par excellence, couvre entièrement le ciel.

Le baromètre continue de
descendre et il finit par
se stabiliser à bas niveau. Le vent
souffle en rafales. Il s'oriente
à l'ouest ou au sud-ouest.

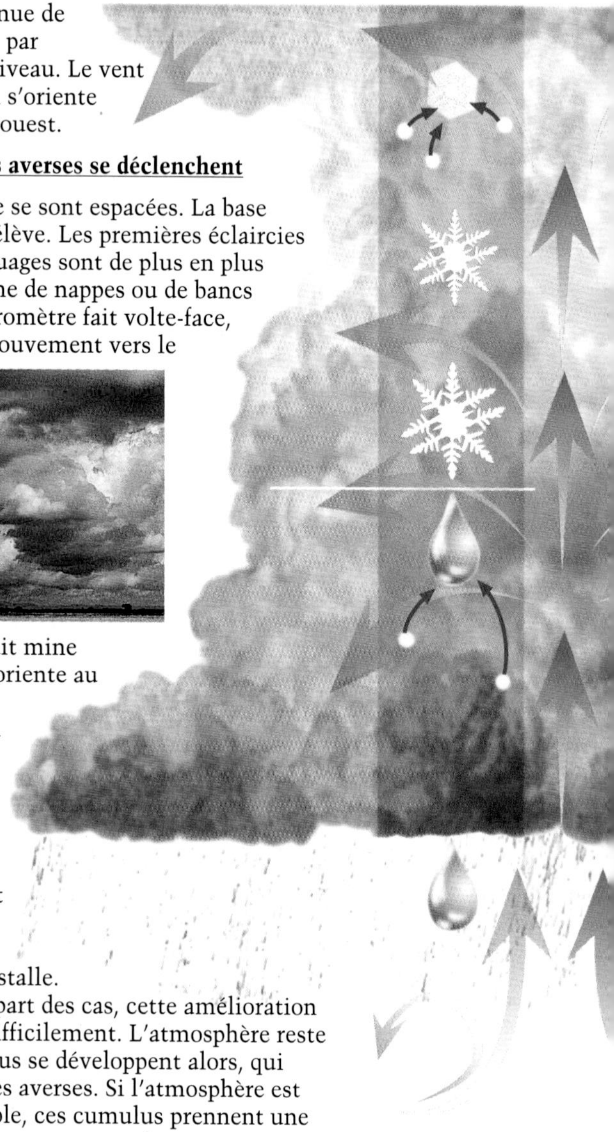

Enfin la traîne ! Les averses se déclenchent

Les gouttes de pluie se sont espacées. La base
du nimbostratus s'élève. Les premières éclaircies
apparaissent. Les nuages sont de plus en plus
dispersés, sous forme de nappes ou de bancs
désordonnés. Le baromètre fait volte-face,
amorçant un net mouvement vers le

haut. Après avoir fait mine
d'hésiter, le vent s'oriente au
nord.

Si la remontée du
baromètre est
franche et rapide,
le ciel en reste là.
Les éclaircies,
souvent très
attendues, prennent
de l'ampleur. Le
temps ensoleillé
s'installe ou se réinstalle.

Mais, dans la plupart des cas, cette amélioration
se manifeste plus difficilement. L'atmosphère reste
instable ; des cumulus se développent alors, qui
peuvent produire des averses. Si l'atmosphère est
vraiment très instable, ces cumulus prennent une
taille impressionnante et se transforment en
cumulonimbus, capables de donner des orages :

«traîne chargée» ou «traîne active», diront les météorologistes.

Dans l'intimité du cumulonimbus

Le cumulonimbus est considéré comme le géant des nuages. Toujours très développé, toujours menaçant, il présente la forme d'une montagne impressionnante et occasionne de violents orages de pluie ou de grêle. Sa base se situe souvent vers 1 000 mètres d'altitude; son sommet, en général, vers 8 000 à 10 000 mètres sur nos pays tempérés – il atteint fréquemment 16 000 mètres sur les pays tropicaux. Un tel nuage

Pendant leur chute, les cristaux qui circulent à l'intérieur du cumulonimbus (à gauche) captent de nouvelles gouttelettes. Une pellicule de glace les entoure rapidement. Mais les mouvements ascendants, très puissants à l'intérieur du nuage, les entraînent vers le sommet à plusieurs reprises. Les différentes couches de glace, souvent visibles, témoignent des allers-retours du grêlon. De violents orages de grêle (ci-dessous) éclatent souvent dans les plaines centrales des Etats-Unis.

De lapfu Pifcium, Ranarum, Murium, Vermium, & Lapidum.

peut donc mesurer une bonne quinzaine de kilomètres d'épaisseur. Quand son développement est maximal son sommet prend alors la forme d'une enclume dont les contours s'effilochent.

Le cumulonimbus se comporte comme une véritable usine thermodynamique. L'air chaud et humide en est la matière première. Pour se développer toujours plus haut, le nuage aspire une quantité considérable d'air chaud et humide, plusieurs milliers de kilomètres cubes. Il en retire

Pluie de poissons en Scandinavie, le sujet de la gravure ci-dessus, datant de 1555, n'a rien d'une affabulation. Bien que difficile à observer, ce type de phénomènes existe réellement. Ils sont dus à la formidable puissance du cumulonimbus, qui aspire de menus objets ou animaux lors de son développement, pour les déposer au loin quand la pluie se déclenche. Quant aux «nuages» de sauterelles (ci-contre) qui ravagent le Sud marocain, ils profitent des vents favorables pour migrer. Leur détection par satellite permet d'agir à temps pour éviter la multiplication des essaims.

Lorsqu'une trombe se produit au-dessus d'une étendue d'eau (à droite), le tourbillon est matérialisé par une colonne d'eau qui part du nuage et qui rejoint la surface.

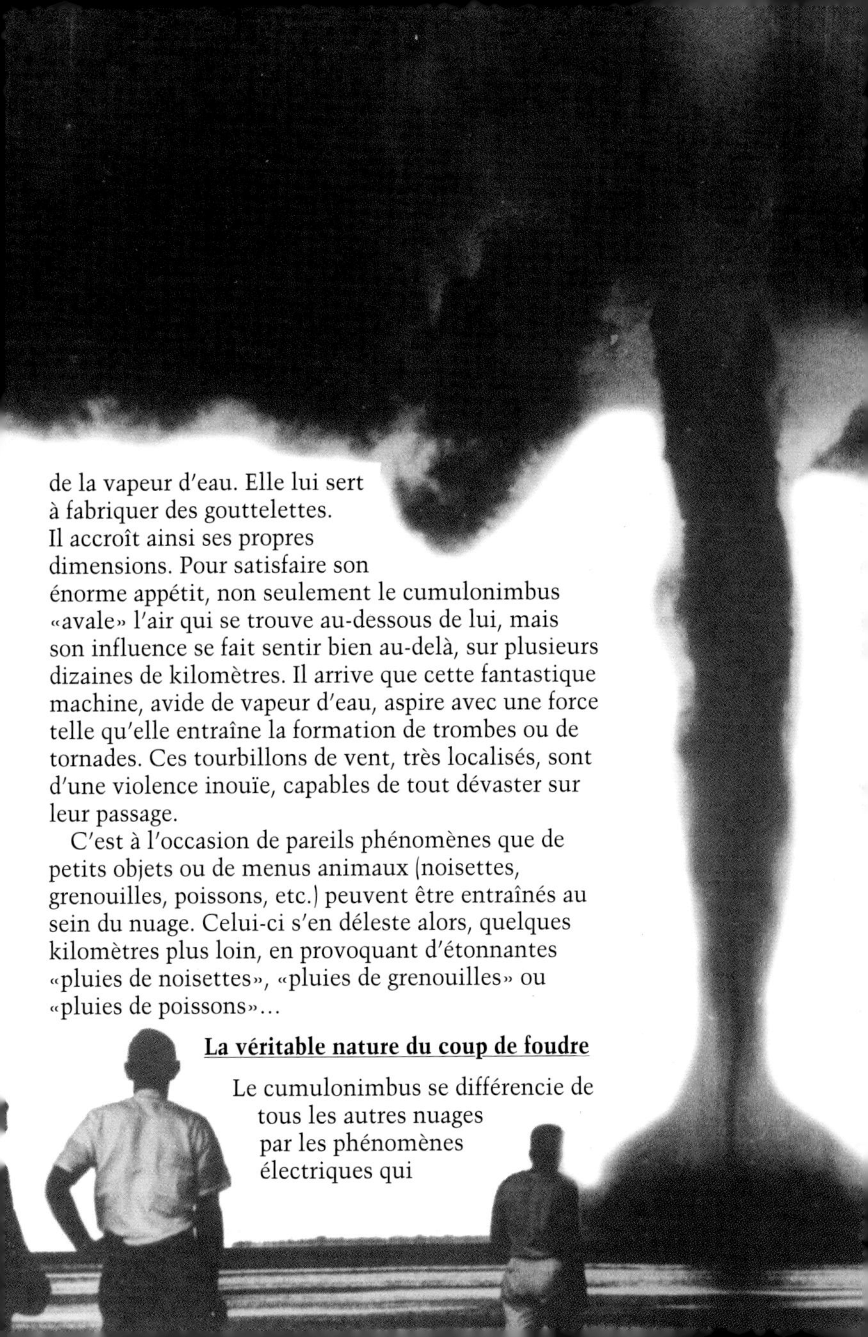

de la vapeur d'eau. Elle lui sert
à fabriquer des gouttelettes.
Il accroît ainsi ses propres
dimensions. Pour satisfaire son
énorme appétit, non seulement le cumulonimbus
«avale» l'air qui se trouve au-dessous de lui, mais
son influence se fait sentir bien au-delà, sur plusieurs
dizaines de kilomètres. Il arrive que cette fantastique
machine, avide de vapeur d'eau, aspire avec une force
telle qu'elle entraîne la formation de trombes ou de
tornades. Ces tourbillons de vent, très localisés, sont
d'une violence inouïe, capables de tout dévaster sur
leur passage.

C'est à l'occasion de pareils phénomènes que de
petits objets ou de menus animaux (noisettes,
grenouilles, poissons, etc.) peuvent être entraînés au
sein du nuage. Celui-ci s'en déleste alors, quelques
kilomètres plus loin, en provoquant d'étonnantes
«pluies de noisettes», «pluies de grenouilles» ou
«pluies de poissons»…

La véritable nature du coup de foudre

Le cumulonimbus se différencie de
tous les autres nuages
par les phénomènes
électriques qui

l'animent. En effet, à partir d'une certaine altitude, les particules d'eau se congèlent. Alors que les cristaux de glace sont présents à 100 % au voisinage du sommet d'un cumulonimbus, seules les gouttelettes d'eau occupent les régions proches de sa base.

Cette hétérogénéité provoque une différenciation des charges électriques. Alors que les charges positives se concentrent vers le haut du nuage, les charges négatives se rassemblent au contraire vers le bas. Quand la différence de potentiel devient trop importante, il y a décharge et coup de foudre.

La foudre se manifeste par deux effets, l'un optique, et l'autre acoustique. Lorsque l'éclair est une décharge électrique entre un nuage chargé d'électricité et le sol, on dit qu'il s'agit d'un «coup au sol» ou d'un «éclair à la terre». La décharge d'orage peut aussi se produire entre deux ou plusieurs nuages chargés d'électricité de signes opposés; il s'agit alors d'«éclairs inter-nuages». On a même décelé des éclairs qui se produisent à l'intérieur d'un même

Phénomène d'une extraordinaire puissance, la foudre provoque des dommages matériels considérables. Selon l'OMM, elle a occasionné en moyenne quatre-vingt-onze morts d'hommes par an aux Etats-Unis de 1967 à 1987. Elle montre une prédilection pour les pointes, les crêtes, les pylônes, les arbres isolés, les aspérités, et pour les objets métalliques, précieux ou non, tel le bracelet ci-dessus.

nuage portant des charges électriques opposées : des éclairs «intra-nuages». La durée de l'éclair varie beaucoup, comprise entre un millième de seconde et une seconde, car l'éclair visible peut être composé de plusieurs décharges successives.

Le tonnerre résulte de l'expansion des gaz le long de la décharge électrique. En quelques millièmes de seconde, ces gaz sont portés à des températures dépassant plusieurs dizaines de milliers de degrés, provoquant de très fortes compressions, suivies de dilatations tout aussi puissantes. Le grondement du tonnerre n'est que le bruit assourdissant provoqué par ces brutales variations de volume.

Quand la foudre frappe, le canal de l'éclair transporte la charge électrique du nuage jusqu'au sol. La température de l'air s'élève considérablement. L'eau se transforme instantanément en vapeur. Cet échauffement brutal provoque une tension explosive. Des forces extrêmement puissantes s'exercent sur des espaces très restreints, d'où le coup fracassant que l'on entend lorsque la foudre frappe un arbre par exemple.

L'air chaud, humide et instable, présent en permanence sur les régions équatoriales, favorise le déclenchement de nombreux orages, souvent bien plus spectaculaires (ci-dessus, des éclairs «inter-nuages» au-dessus de Java) que ceux que connaissent nos zones tempérées (page de gauche). C'est ainsi qu'aux environs de l'équateur le tonnerre gronde presque tous les jours. On ne compte pas moins de deux à trois cents jours d'orage par an en Indonésie. Pour sa rapidité, sa violence et les dangers qu'elle signifie, la foudre a de tous temps frappé l'imagination des humains : les Romains représentaient Jupiter la tenant dans ses mains; les Grecs pensaient que Zeus en colère lançait les éclairs depuis le mont Olympe.

D'étranges phénomènes lumineux

Beauté, mystère, l'arc-en-ciel est sans doute l'un des phénomènes météorologiques qui a le plus intrigué nos lointains ancêtres. Il fut admirablement analysé et disséqué par Descartes (1637) qui en perça tous les secrets. Ses couleurs sont dues à la dispersion, réflexion et réfraction que subissent

les rayons du Soleil sur les gouttelettes d'eau. Leur disposition est analogue à celle qui résulte de la décomposition de la lumière blanche par le prisme : violet, indigo, bleu, vert, jaune, orangé, rouge. Pour observer un arc-en-ciel depuis la Terre, il faut donc un ciel changeant où coexistent à la fois nuages et soleil, et, d'autre part, que la hauteur du Soleil ne dépasse pas 52° au-dessus de l'horizon.

«Lune cerclée, pluie assurée», assure fort justement un célèbre dicton. Car le halo qui se forme autour de la Lune (ou du Soleil) est dû aux cirrostratus ou plus rarement aux cirrus, ces nuages élevés, dont les cristaux de glace diffusent et dévient les rayons lumineux de telle façon qu'ils reproduisent l'image de l'astre concerné.

Etrange phénomène encore que la gloire. Il s'agit d'une série d'anneaux colorés perçus par un observateur autour de son ombre portée sur des nuages ou sur des brouillards (ces conditions sont

Faut-il être une montagne suisse pour se mirer dans les nuages? Rare – mais explicable – phénomène optique, cette ombre de sommets projetée dans le ciel (en haut de page) fut observé à Château-d'Œx en 1934.

Lorsqu'une aurore polaire se produit, le bombardement d'électrons émis par le Soleil est tel que la boussole des marins devient inutilisable. Ses couleurs évoquent la lumière produite par une décharge électrique dans un gaz rare.

le plus souvent réunies en montagne). Une des caractéristiques de ce phénomène étonnant est de n'être visible que par l'observateur lui-même. Acteur et spectateur ébahi, celui-ci peut ainsi se voir auréolé de sa propre gloire et tout ignorer de celle de ses voisins. La disposition des anneaux colorés est toujours la même : rouge à l'extérieur, violet à l'intérieur; elle est due à la diffraction et à la réflexion de la lumière du Soleil sur les gouttes d'eau des nuages.

Les aurores polaires se déroulent à plus de 1 000 kilomètres d'altitude. Elles se présentent généralement sous forme de draperies ou bien encore d'arcs, de bandes ou de rideaux aux couleurs des plus variables. L'émission par le Soleil d'électrons canalisés par le champ magnétique terrestre est en effet plus intense à proximité des pôles. Cette particularité explique que les aurores soient observées fréquemment sur les régions polaires. Les électrons agissent sur les particules de la haute atmosphère, un peu comme ils le font sur un écran de télévision, en provoquant l'émission de lumières colorées.

On croyait, au XIIIᵉ siècle, qu'il suffisait de passer sous sa voûte pour changer de sexe! Depuis, sans rien perdre de charme, l'arc-en-ciel a abandonné son mystère, cerné dès 1304 par les hypothèses très judicieuses d'un moine dominicain allemand du nom de Theodoric. Après les études de Descartes, puis les expériences de Newton, la belle «écharpe d'Iris» s'avère n'être qu'un avatar de la lumière, l'image presque banale, réfléchie et réfractée, portée sur un écran de pluie, d'un soleil qu'on a dans le dos.

Phénomène mystérieux, aux yeux des Anciens, tirant sa force et son prestige d'une origine divine, le vent était supposé penser, punir ou récompenser, déclencher à volonté tempêtes et ouragans. De nos jours, où bien des secrets de ses mécanismes ont été élucidés, on ne sait encore que tirer la sonnette d'alarme lorsque sa violence le rend menaçant.

CHAPITRE IV
QUI SÈME LE VENT...

La mer est grosse, la tempête souffle, le ciel, chargé de lourds nuages, laisse présager une catastrophe imminente. A terre, on frissonne, la forêt s'agite, le vent émet un sifflement menaçant. C'est alors qu'apparaît la main secourable de la Vierge, ultime recours des hommes apeurés, seule capable d'apaiser les éléments déchaînés et de guider la frêle embarcation. Nombreux sont les ex-voto représentant des tragédies en mer.

Les Grecs étaient parvenus à différencier les vents en fonction de leurs origines. Quatre vents principaux furent d'abord définis, selon les orientations cardinales, inséparables de leur divinité – Borée pour le vent du nord, Euros pour l'est, Notos pour celui du sud et Zéphyros pour le vent d'ouest. Puis Aristote, considérant les directions intermédiaires en détermina huit. C'est en conformité avec ses

Quatre, puis huit, seize, vingt-quatre, trente-deux divisions, donnant les points cardinaux et leurs colatéraux, tracés sur une boussole, sur les atlas ou les cartes marines. Cette étoile hérissée est une rose des vents. Elle permet d'en connaître la direction. Celle ci-contre figurait sur l'un des premiers atlas imprimés à Amsterdam, en 1547. Si son intérêt décoratif est indéniable, en revanche, les informations qu'elle apporte sur un plan scientifique sont plutôt limitées. Les présentations graphiques les plus utilisées adoptent les emboîtements de polygones ou la répartition radiale; elles donnent des indications à la fois sur les vitesses et sur les directions les plus fréquentes du vent pour un lieu déterminé.

indications que fut édifiée à Athènes, au Ier siècle av. J.-C., un bâtiment octogonal surmonté d'une girouette, la Tour des vents.

A Rome, la rose des vents se compliqua de seize directions intermédiaires. Cette diversification offrit la possibilité de distinguer vingt-quatre directions différentes.

Indiscret, toujours présent quand on ne l'attend pas, même dans l'Athènes contemporaine, aux dépens des touristes de l'Acropole (page de droite, en bas), le vent découvre bien des secrets.

Déifiés pendant l'Antiquité, les vents continuèrent longtemps d'inspirer la crainte et le respect, comme en témoignent les appellations familières qu'ont reçu certains d'entre eux. Qui ne connaît le mistral – le «vent magistral» –, le sirocco ou le fameux simoun, la douceur lisse des alizés ou le rugissement des *roaring forties*, tant redoutés dans l'hémisphère Sud par les navigateurs à voile qui s'aventuraient entre les latitudes 40° et 50°?

Construite à Athènes au Ier siècle av. J.-C. par Andronicos de Cyrrhestes (architecte grec né en Syrie), la Tour des vents (à gauche) renfermait une horloge à eau. Elle était, en outre, surmontée d'une girouette. Ses huit côtés portent, en haut relief, la figure d'un jeune homme, dont l'attitude est censée rappeler les caractéristiques du vent qu'il représente : Borée, Kaikias, Apéliote, Euros, Notos, Lips, Zéphir et Skiron.

Un simple courant d'air compensateur

Il fallut des années, des siècles, pour que l'on s'habitue à nommer les vents selon leurs directions d'origine. Vent du sud ou vent du nord, vent d'est ou vent d'ouest, nos vents modernes ont perdu en poésie et en noblesse… Il suffit de connaître leur origine pour les identifier.

Plus difficile encore fut de comprendre la nature du vent. La confusion sur sa formation persista jusqu'au XVIIe siècle. Pourquoi les feuilles des arbres bougeaient-elles? Parce qu'il y avait du vent?

Ne fallait-il pas penser plutôt qu'en s'agitant les feuilles donnaient naissance au vent? C'est en 1640 que Galilée démontra que l'air était pesant. Lui emboîtant le pas, Torricelli et Pascal prouvèrent que le vent n'était, ni plus ni moins, qu'une masse d'air en mouvement, un simple courant d'air! Un exemple moderne peut éclairer le propos : quand un pneu éclate, l'air comprimé se précipite vers l'extérieur. De manière identique, dans l'atmosphère, l'air se dirige des zones de hautes pressions vers les zones de basses pressions, et ce déplacement d'air donne naissance au vent.

Son existence n'a donc qu'une fonction : rétablir l'égalité des régions devant le baromètre en atténuant les différences de pressions. Plus ces différences sont importantes, plus le «courant d'air compensateur» est fort. Les progrès de la météorologie permirent par la suite de comprendre que la direction et la vitesse du vent étaient tout bonnement imposées par la position des dépressions et des anticyclones.

Le vent n'échappe pas à la rotation de la Terre

Il suffit d'imaginer un objet lancé depuis le pôle Nord : il suit un chemin rectiligne, mais, pendant qu'il se déplace, la Terre tourne. Il en résulte que sa trajectoire, délimitée à la surface de la planète, correspond à une courbe. Les masses d'air sont soumises à ce même effet de la rotation terrestre.

L'usage de la girouette, réalisée à partir d'une silhouette découpée, se répandit en Europe au Moyen Age.

L'habitude s'en maintint jusqu'au XIXᵉ siècle.

Ses formes évoquaient le plus souvent le métier des habitants de la maison qu'elle dominait.

Dans l'hémisphère Nord, les vents apparaissent ainsi déviés vers la droite. Pour des observateurs immobiles sur le globe terrestre, ils semblent se déplacer en spirale, et non pas en ligne droite. Ils se rapprochent des centres de basses pressions en tournant dans le sens contraire aux aiguilles d'une montre. Ils s'éloignent au contraire des centres de hautes pressions en tournant dans le sens inverse. Cette force déviante, appelée «force de Coriolis», joue un rôle considérable dans notre atmosphère. Dans l'hémisphère Sud, le sens de rotation autour des dépressions et des anticyclones est inversé. Les vents sont au contraire déviés vers la gauche. Anticyclones et dépressions commandent donc la circulation des vents. On comprend mieux l'étroite

Deux ingénieurs de l'Institut hongrois de météorologie suivent le déplacement d'un ballon afin de calculer la direction et la vitesse des vents en altitude.

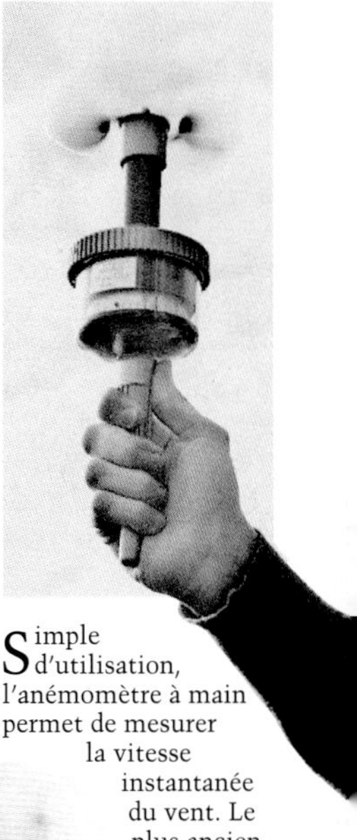

Simple d'utilisation, l'anémomètre à main permet de mesurer la vitesse instantanée du vent. Le plus ancien, d'origine italienne, date de 1450. Ainsi, pendant des siècles, l'homme a su déterminer la direction du vent grâce à la girouette, mais était incapable d'en connaître la vitesse.

relation pression/vent depuis que Buys-Ballot démontra que la direction du vent est à peu de chose près parallèle aux lignes d'égale pression. Ainsi, au vu d'une carte où les lignes isobares sont seules représentées, il est possible de déterminer en tout point la direction du vent.

Les bonnes brises

Les brises ont toujours pour origine des différences d'échauffement entre des lieux rapprochés. Ainsi dans les vallées, en cours de journée, les pentes ensoleillées s'échauffent. L'air qui est à leur voisinage immédiat se réchauffe à son tour. Il devient plus chaud, plus léger… et s'élève en altitude. Immédiatement remplacé par de l'air plus frais qui remonte les pentes de la vallée, il donne naissance à une brise montante. La nuit, le mécanisme s'inverse : en l'absence du soleil, c'est l'air froid, plus lourd et plus dense, qui descend et provoque ainsi une brise descendante. Les spécialistes du parapente ou d'aile volante connaissent particulièrement bien ces mécanismes. La brise montante prend naissance quelques heures après le lever du soleil. Elle atteint sa vitesse maximale au moment le plus chaud de l'après-midi et s'éteint quelques heures

« Le vent tourne autour des dépressions dans le sens inverse des aiguilles d'une montre dans l'hémisphère Nord.» Cette loi, désormais bien connue sous le nom de force de Coriolis, paraît difficilement acceptable au premier abord. Le vent ne soufflerait-il pas en ligne droite? Prenons un obus tiré en droite ligne sur Londres à partir du pôle Nord. La distance est grande, il faudra des heures au projectile pour atteindre sa cible. Et pendant ce temps, la Terre tourne (1 670 kilomètres à l'heure au niveau de l'équateur). Résultat, le projectile ne parviendra jamais à la capitale britannique. Quand il amorcera sa chute, Londres se trouvera déjà un peu plus à l'est et il tombera dans l'Atlantique. Un phénomène similaire se produit avec le vent. La Terre tourne pendant qu'il souffle. C'est la raison pour laquelle il semble se déplacer en spirale.

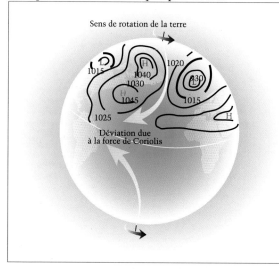

Sens de rotation de la terre

1015   H   1020
1040
1030   830
H
1045   1015
1025   H

Déviation due
à la force de Coriolis

seulement après le coucher du soleil. De même, les étendues d'eau et la terre réagissent différemment à l'insolation. La terre s'échauffe et se refroidit plus vite. Ces différences de température

En montagne, l'ensoleillement est très irrégulier. Les versants sont en général bien éclairés, chauffés par le soleil. A l'inverse, les fonds des vallées restent longtemps dans l'ombre. Il en résulte des différences de températures importantes entre les sommets et la vallée. Le jour, une brise remonte les pentes ensoleillées. Son courant ascendant est exploité au mieux par les amateurs de parapente.

donnent naissance aux brises de terre et aux brises de mer. Les lacs, les côtes développent ainsi leurs propres systèmes de vent, particularités exploitées avec bonheur par les véliplanchistes et les plaisanciers.

Ces phénomènes locaux sont particulièrement marqués par temps calme anticyclonique. Quand souffle la tempête, ou plus simplement quand le vent est fort, les brises passent complètement inaperçues, balayées par un phénomène d'une tout autre ampleur.

Tous les sportifs amateurs d'ailes savent qu'ils ne pourront prolonger leur envol au-delà d'une certaine heure. Le soir, l'air des sommets devient plus froid et plus lourd. Il s'écoule vers le fond de la vallée. La brise s'inverse de sens et devient descendante.

La rencontre du vent et de la montagne

Quand il se trouve face à la montagne, l'air n'a que deux possibilités.

Il peut la contourner, en s'engouffrant plus ou moins dans les vallées environnantes. La présence d'une vallée encaissée dévie le «courant d'air», le canalise et l'accélère. Résultat : le vent prend une direction préférentielle. Devenu familier aux habitants des régions sur lesquelles il souffle, il reçoit fréquemment un nom, qui fait de lui un vent local ou un vent régional, selon l'étendue de sa zone d'influence.

Mais, dans la plupart des cas, l'air transporté par le vent ne se contente pas d'éviter la montagne; il s'élève pour mieux la franchir. Et c'est ainsi que se déclenche l'«effet de fœhn», dont les conséquences dépendent à la fois de la situation météorologique et du relief de la région concernée – coteaux, collines ou montagnes. Plus ou moins important, l'effet de fœhn est souvent le responsable des conditions météorologiques sur mesure connues sous le nom de micro-climats.

Le mécanisme du fœhn est tel qu'il parvient, grâce à la présence de la montagne, à transformer de l'air frais et humide en air chaud et sec. Cette métamorphose étonnante résulte d'une application simple et rigoureuse des lois de la physique.

Alchimie de l'air : l'effet de fœhn

Lorsque l'air humide transporté par le vent prend de l'altitude pour franchir une montagne, sa température baisse d'environ 0,5 °C tous les 100 mètres. Ce refroidissement provoque la condensation de la vapeur d'eau qu'il contient. Il en résulte la formation de nuages au flanc de la montagne, parfois la pluie ou la neige. L'air perd ainsi une bonne partie de la vapeur d'eau qu'il contenait.

Une fois le sommet franchi, c'est de l'air frais, mais plus sec, qui commence à dévaler les pentes. Il se trouve comprimé au fur et à mesure de la descente et subit un échauffement, d'autant plus rapide qu'il est plus sec – environ 1 °C par 100 mètres. L'air

Sur les côtes, le mécanisme des brises est provoqué par les vitesses d'échauffement différentes de la terre et de la mer. Pendant la journée, l'air réchauffé par le sol s'élève. Il est progressivement remplacé par de l'air plus frais qui vient de la mer : c'est la brise de mer.

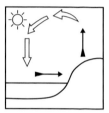

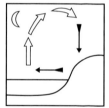

Au cours de la nuit, l'air réchauffé par l'eau de mer prend de l'altitude. Il est au fur et à mesure remplacé par de l'air plus frais qui vient de la terre : c'est la brise de terre.

L'écoulement de l'air est perturbé par la présence du relief. Les ondes orographiques – c'est-à-dire produites par la montagne – sont souvent matérialisées par des nuages aux formes caractéristiques. Il s'agit d'altocumulus lenticulaires, qui ressemblent à des piles d'assiettes ou de crêpes, à des calligraphies célestes. De tels nuages apparaissent immobiles par rapport au sol, malgré le vent. L'effet du fœhn (schéma ci-dessous) modifie les caractéristiques de l'air qui franchit la montagne : froid et humide sur le versant «au vent», il est plus sec quand il entreprend la descente du versant «sous le vent». Il s'échauffe au cours de la descente en raison de la compression qui en résulte.

s'échauffe donc plus vite en dévalant la pente qu'il ne se refroidissait en l'escaladant.

Le passage de l'air au-dessus de la montagne en modifie ainsi de fond en comble les caractéristiques : plutôt frais et humide au départ, il nous revient chaud et sec à l'arrivée. L'effet de fœhn entraîne des conditions météorologiques radicalement différentes d'un côté ou de l'autre de la montagne. Le chinook, qui souffle sur les côtes de Californie, est l'un des exemples les plus spectaculaires.

ALTITUDE
en m

7,5 -1500	
8 -1400	
9 -1200	6,5 6,5
	7,5 7,5
10 -1000	8,5 9,5
11 - 800	9,5 11,5
12 - 600	10,5 13,5
13 - 400	11,5 15,5
14 - 200	13 17,5
0	15 19,5

Profitant du courant d'air descendant des Rocheuses, cette ferme californienne fonctionne depuis 1960 en assurant sa production d'électricité. Chaque éolienne est couplée à une génératrice. Pour augmenter l'énergie disponible, on a planté un véritable champ d'éoliennes.

C'est une «brise de terre» à grande échelle qui descend les montagnes Rocheuses et s'échauffe considérablement à la suite de la compression de l'air.

Vents d'ici et d'ailleurs

Parmi les grands vents régionaux, et non des moindres, le mistral, le «maître des vents», fait en général son apparition quand une dépression se creuse en Méditerranée, sur le sud des Alpes – ou plus précisément dans le golfe de Gênes –, tandis qu'un bel anticyclone est en place sur l'Atlantique ou l'Espagne. L'air froid qui vient du nord est pris dans un véritable couloir d'étranglement constitué par la vallée du Rhône. Selon un principe de la mécanique des fluides connu sous le nom d'«effet de Venturi», il est contraint d'augmenter fortement sa vitesse pour s'écouler. Un courant d'air à grande échelle se produit alors. Il souffle généralement entre 75 et 100 kilomètres à l'heure et parfois davantage. A grands renforts de fortes rafales sur le Roussillon et le Languedoc, la tramontane fait généralement cause commune avec le mistral. Ils apparaissent simultanément ou presque, disparaissent à quelques heures d'intervalle.

Les vents du sud ont eux aussi leurs porte-drapeaux : l'autan s'est taillé une belle réputation le long de la

Vent glacial, le blizzard descend tout droit du pôle Nord. Chargé de neige, il rend la visibilité mauvaise. En mars 1908, il entretint un tel froid que l'on vit des pompiers new-yorkais bloqués par le gel lors de l'incendie d'un immeuble de Broadway.

vallée de la Garonne. Le sirocco, très chaud, très sec, souffle sur le nord de l'Afrique et s'aventure parfois en Méditerranée jusqu'aux côtes européennes. Vent d'est très violent, la lombarde souffle sur les Alpes à proximité de la frontière italienne. Autre vent d'est et de grand renom, le simoun, le «vent du désert», prend naissance dans le désert de l'Arabie et s'étend jusqu'aux rivages de l'Egypte et de la Libye. Plus sage, le levant, doux, très humide, souffle sur les Alpes du Sud et les régions méditerranéennes.

Maître des vents, lipo fango, magistrou, mange-fange, rameaux sont d'autres noms familiers du mistral.

Le simoun, ou «vent poison», provoque parfois de terribles tempêtes de sable. Brûlant, asséchant, il souffle sur le désert au cours de périodes qui s'étendent d'avril à juin et de septembre à décembre.

La bora est un violent vent froid d'est ou de nord-est localisé sur l'Adriatique et la mer Noire; en hiver, elle apporte de l'air glacial du Caucase sur une mer encore chaude.

Vitesse du vent en nœuds
De 0 à 1
De 1 à 3
De 4 à 6
De 7 à 10
De 11 à 16
De 17 à 21
De 22 à 27
De 28 à 33
De 34 à 40
De 41 à 47
De 48 à 55
De 56 à 63
Supérieur à 64

Le souffle violent de la tempête

Quand le baromètre descend très bas, les différences de pressions s'accentuent. Les lignes isobares se resserrent. Le «courant d'air compensateur» qui tend à rétablir l'équilibre entre des zones de pressions différentes devient plus fort. Un peu comme le courant de la rivière, qui s'accélère lorsque la pente augmente, l'air s'écoule plus vite des hautes pressions vers les basses pressions. Sa vitesse moyenne peut atteindre et dépasser 100 kilomètres à l'heure : c'est la tempête!

Par convention internationale, les services météorologiques doivent lancer des avis de tempête lorsque le vent dépasse 10 à 11 Beaufort, c'est-à-dire de 90 à 117 kilomètres à l'heure. La mer devient très grosse, les vagues exceptionnellement hautes constituent un danger pour les navires.

Les tempêtes d'équinoxe, si redoutées, ne sont qu'une fâcheuse coïncidence entre deux phénomènes

L e cyclone Hugo (à gauche) dévasta les Antilles et la côte sud-est des Etats-Unis en septembre 1989. Sur ce cliché pris d'un satellite, l'œil est clairement visible, au centre de la spirale nuageuse.

Chiffres Beaufort	Aspect de la mer	Désignation officielle
0	Comme un miroir	Calme.
1	Quelques rides	Très légère brise.
2	Vaguelettes ne déferlant pas	Légère brise.
3	Les moutons apparaissent	Petite brise.
4	Petites vagues, nombreux moutons	Jolie brise.
5	Vagues modérées, moutons, embruns	Bonne brise.
6	Lames, crêtes d'écume blanche, embruns	Vent frais.
7	Lames déferlantes, traînées d'écume	Grand frais.
8	Tourbillons d'écume à la crête des lames, traînées d'écume	Coup de vent.
9		Fort coup de vent.
10	Lames déferlantes, grosses à énormes, visibilité réduite par les embruns.	Tempête
11		Violente tempête
12		Ouragan

indépendants l'un de l'autre. L'amplitude des marées océaniques varie au cours des saisons, suivant l'emplacement de la Lune et du Soleil par rapport à la Terre. Quand les attractions de la Lune et du Soleil vont dans le même sens, elles s'additionnent. C'est aux environs des équinoxes que l'attraction résultante est la plus forte. Les marées atteignent alors leur côte maximale. Quand une dépression survient à cette époque de l'année, les vents se renforcent et rendent la mer houleuse. Ils causent des dégâts d'autant plus

S ir Francis Beaufort (1774-1857, en haut de page), amiral anglais, est l'inventeur d'une échelle, qui porte son nom, graduée en degrés et utilisée par les marins pour mesurer la force du vent. Elle figure ici avec ses équivalences, sous l'œil indifférent de la reinette, animal fétiche de la météo.

C'est la hauteur des vagues qui détermine l'état de la mer. Le code international utilisé par les marins et les météorologistes, sensiblement différent de l'échelle de Beaufort, fait état de dix degrés, qui vont de mer d'huile à mer énorme, en passant par mer forte, très forte, grosse ou très grosse. Lorsque la mer n'est pas trop agitée, on peut observer le système des vagues et le décomposer en deux formes principales. La première est la conséquence directe du vent sur le lieu même de l'observation : c'est la mer du vent. La seconde résulte, quant à elle, de vents qui soufflent à plusieurs centaines ou plusieurs milliers de kilomètres : c'est la houle. La direction de propagation de la houle peut être très différente de celle du vent qui souffle sur le lieu d'observation.

Prospero, posté sur le rivage, observe la mer déchaînée jetant à terre des groupes de naufragés. Cette *Tempête* (ci-contre) est celle de Shakespeare, qu'a choisi de peindre Wright of Derby.

graves qu'ils surviennent au moment où ces régions côtières sont «fragilisées» par les fortes marées.

Alerte : cyclone !

Le cyclone est une dépression très creuse, de petite dimension. Son diamètre est généralement compris entre 200 et 500 kilomètres. Les variations de pression, très importantes d'un endroit à l'autre, engendrent des vents très forts, fréquemment 150 à 250 kilomètres à l'heure. D'énormes cumulonimbus se développent en spirale autour de l'œil du cyclone, c'est-à-dire son centre, l'endroit où la pression est la plus basse. Ces nuages donnent des pluies diluviennes. Aux éléments déchaînés, vents forts, pluies torrentielles, s'ajoute généralement l'«onde de tempête», qui entraîne une montée très rapide du niveau de la mer, due aux effets combinés du vent et de la baisse de pression. Cette élévation du niveau de la mer peut dépasser plusieurs mètres.

Le mécanisme de formation des cyclones dépend en grande partie de la température de la mer. Une eau à température suffisamment élevée – à partir de 26 °C – réchauffe considérablement l'air qui se trouve à son voisinage. Cet air rendu chaud, léger et très humide, s'élève dans l'atmosphère et provoque la formation d'énormes nuages. La condensation de la vapeur d'eau libère alors de la chaleur, ce qui accroît encore le processus et constitue en quelque sorte le «carburant» du cyclone. Quand celui-ci atteint les régions côtières, il se voit brutalement privé de l'air chaud et humide qu'il trouvait en abondance au-dessus de l'océan; sa violence diminue rapidement. Ainsi les côtes sont-elles toujours plus durement touchées que les régions de l'intérieur. On a vu des cyclones perdre une grande partie de leur intensité en survolant des îles et reprendre de l'activité sitôt l'océan retrouvé.

Après la guerre, les services météorologiques américains mirent en place un système de surveillance des soubresauts du ciel. Des pilotes téméraires s'aventurèrent au sein des cyclones – aventure fortement déconseillée aux amateurs, tant sont grands les risques, liés à l'extraordinaire puissance du phénomène. Les cyclones s'accompagnent de vents extrêmement violents (de 150 à 250 kilomètres à l'heure) et de pluies diluviennes. En 1980, on a recueilli des quantités d'eau de plus de 6 mètres en sept jours sur le relief de l'île de la Réunion.

D'immenses bandes nuageuses s'enroulent en spirale autour d'une zone circulaire de taille réduite, l'œil du cyclone. Celui-ci constitue une zone de temps calme, où la pression atteint des valeurs exceptionnellement basses, voisines de 990 et quelquefois de 870 hectopascals. Particulièrement bien repérable sur les images composées depuis l'espace, l'œil du cyclone permet souvent une détection rapide du phénomène. Ci-dessous, le cyclone Andrew, qui ravagea les Antilles et la Floride.

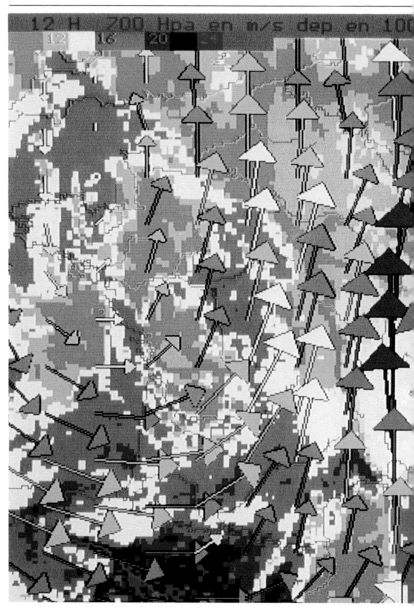

Connaître, prévoir et maîtriser le temps, produit du jeu constant entre le Soleil, la Terre, l'atmosphère… et l'homme! De la candeur de ses anciennes croyances aux ambitions contemporaines de la science, l'homme n'a jamais cessé de caresser un vieux rêve : que le ciel tienne davantage compte de ses desiderata.

CHAPITRE V
LES MAÎTRES DU TEMPS

De la boule de verre de l'héliographe (à droite) à la carte des vents traités par ordinateur (à gauche), le météorologue anglais conserve tout son flegme. Il lui en faut. La météorologie reste la science des modestes, artisans-chercheurs attachés à la connaissance des éléments qui nous entourent.

C'est au début du XXe siècle qu'un météorologiste norvégien, Vilhelm Bjerknes lança une idée nouvelle : traiter l'atmosphère selon les lois de la thermodynamique et de la mécanique des fluides pour en prévoir l'évolution.

Idée d'une incroyable complexité quand on veut la mettre en pratique. Les lois physiques qui régissent

Les bouées dérivantes (en haut, à gauche) permettent de relever les températures de l'air, de la mer, la pression atmosphérique, le taux d'humidité et d'autres paramètres mesurables.

les mouvements et les changements d'état de l'atmosphère forment un système d'équations qui n'a pas de solution simple. Pour le résoudre, les mathématiciens ne peuvent procéder que par approximations successives. En simplifiant à l'extrême, le problème peut se formuler ainsi : connaissant le «temps qu'il fait» en ce moment sur la Terre entière, dites-moi le «temps qu'il fera» au cours des prochains jours?

«L'homme d'expérience affecté à la tâche de calculer le temps que la nature met trois heures à engendrer y consacrera sans doute trois mois, dans le meilleur des cas. Quelle satisfaction y a-t-il à être capable de calculer le temps qu'il fera demain si cela doit prendre une année?»
Vilhelm Bjerknes

Observer, plus et toujours mieux

Afin de pouvoir apporter la meilleure réponse possible à cette question, les météorologistes de tous les pays ont développé une formidable organisation technique pour surveiller au mieux tous les phénomènes atmosphériques. Aux 10 000 observateurs qui scrutent l'aspect du ciel 24 heures sur 24, il faut en ajouter 5 000 à bord de bateaux qui sillonnent mers et océans. Les pilotes fournissent

Vilhelm Bjerknes (en haut, à gauche) eut le premier l'idée de traiter l'atmosphère selon les lois de la physique et de la mécanique. Mais les moyens de calculs de l'époque ne permettaient pas de la mettre en pratique.

Regretté par tous les météorologistes, le point «K», situé sur le proche Atlantique, était tenu en permanence par un navire stationnaire, le *Carimaré* (ci-contre). Trop coûteux, ce système fut abandonné dès l'avènement des satellites météorologiques.

régulièrement des renseignements sur les conditions météorologiques rencontrées au cours de leur vol.

A ces moyens traditionnels viennent s'ajouter des stations automatiques et des bouées dérivantes qui délivrent en permanence des informations sur la température, la pression atmosphérique, l'humidité, les hauteurs des précipitations des lieux où elles sont

placées. Pour connaître les conditions
météorologiques en altitude, près
de 1 500 ballons-sondes sont lâchés
chaque jour dans l'atmosphère. Les
radars météorologiques implantés sur
de nombreux pays permettent de localiser
l'emplacement et l'intensité des précipitations au
moment même où elles se produisent.

Les satellites météorologiques, géostationnaires ou
défilants, ont pris une importance capitale au cours
de ces vingt dernières années. Non seulement ils
fournissent des photos de la couverture nuageuse
mais ils donnent de précieux renseignements sur
le déplacement des nuages, la vitesse et la direction
des vents en altitude, l'évolution de la température
suivant l'altitude… sans oublier qu'ils assurent eux-
mêmes la transmission et la retransmission de
multiples données météorologiques.

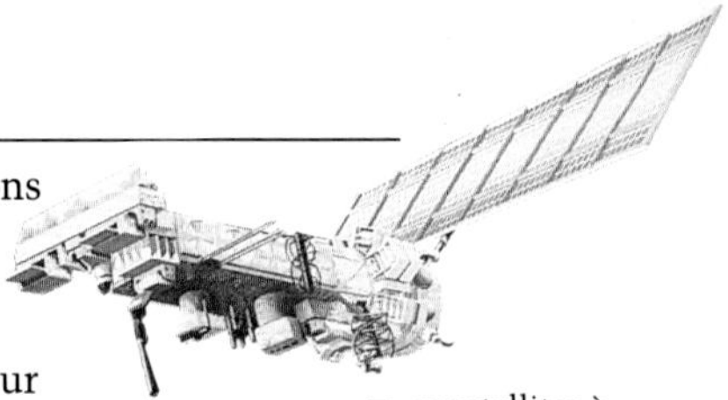

Les satellites à
défilement de la
série NOAA (ci-dessus)
ont une orbite polaire.
Leur équipement leur
permet d'observer dans
plusieurs longueurs
d'ondes et de pouvoir
reconstituer ainsi des
champs de températures
et d'humidité
atmosphérique. Ils
effectuent des sondages
comparables à ceux
réalisés par les ballons-
sondes. L'avantage
du système
réside
dans

le nombre
de sondages réalisés
par le satellite, y
compris sur des zones
inaccessibles
de la planète. Et tout
cela… à moindre coût.

Le génie solitaire de la prévision numérique

C'est au cours de la guerre de
1914-1918 qu'un scientifique
anglais, L. F. Richardson, se
lança dans l'aventure. En
utilisant le réseau des
observations de l'époque,
il effectua lui-même l'énorme masse des calculs
numériques nécessaires à une prévision
météorologique. Un travail de titan, de plusieurs

L'avion d'observation
météorologique,
Merlin IV de Météo-
France (ci-dessus),
participe à divers
programmes de
recherches et de
mesures.

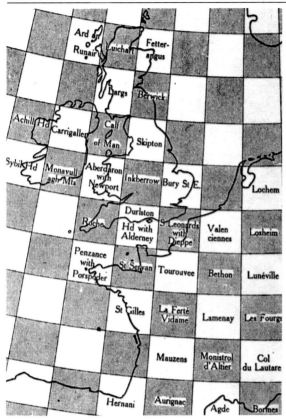

Météosat (ci-dessus) est un satellite géostationnaire, placé 36 000 km au-dessus du golfe de Guinée. Il tourne en même temps que la terre.

Richardson inventa une grille pour effectuer les calculs nécessaires à la prévision numérique du temps, méthode qui aurait très bien convenu à un traitement informatique. Mais en 1921 Richardson n'avait pas d'ordinateur.

années, qui aboutit finalement à un cuisant échec. On en comprit les raisons plus tard. Elles étaient dues, pour l'essentiel, à des techniques de calcul inconnues à cette époque.

La principale erreur de Richardson fut de réaliser des approximations de 6 heures en 6 heures, alors qu'il ne faut pas dépasser la demi-heure si l'on veut avoir des chances de succès.

Cinq satellites géostationnaires assurent la surveillance de l'atmosphère. Leurs observations sont complétées par celles des satellites à défilement de la série NOAA.

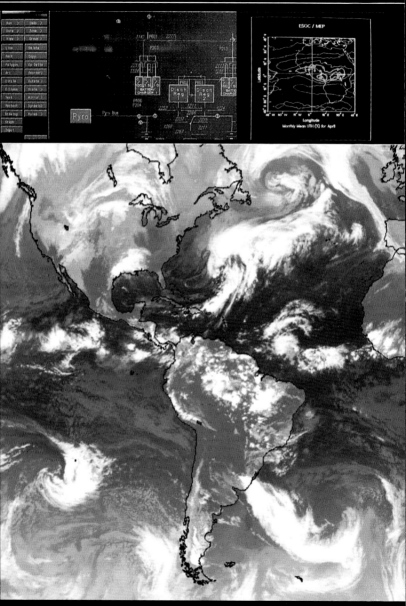

Particulièrement bien visible au niveau de l'équateur, la zone de convergence intertropicale, le pot-au-noir des navigateurs. L'étonnante image sur laquelle il apparaît résulte de la composition de photos prises par deux satellites Météosat. Elles ont été colorées artificiellement, afin de mettre en évidence les mers (en bleu), les continents (en orange) et la position des zones nuageuses les plus importantes (en blanc). Il y a bien longtemps que les satellites météorologiques ne se contentent plus de donner une banale photographie de la couverture nuageuse. En Allemagne, une antenne de 15 mètres de diamètre, pointée en permanence vers le satellite Météosat, permet à la station de l'Agence Spatiale Européenne (ESA) de recueillir et de traiter les informations en provenance de l'espace. Elles sont ensuite vérifiées, grâce à l'impressionnante batterie des écrans de la salle de contrôle de Darmstadt. En haut de page, et de gauche à droite, d'abord celui utilisé par les «pilotes» du satellite, puis trois autres, qui permettent de vérifier la qualité des produits météorologiques (humidité dans la haute atmosphère, vecteurs vent extraits du canal vapeur eau ou du canal infrarouge).

Richardson présenta son travail en 1922. Pour pallier le manque de moyens auquel il dut faire face, il envisageait l'installation d'une gigantesque «usine» à fabriquer les prévisions météorologiques. Pas moins de 64 000 personnes seraient ainsi employées à calculer sans arrêt! Un «ordinateur à visage humain»! Compte tenu des résultats décevants qu'il obtint, la prévision numérique du temps fut alors délaissée.

Premier casse-tête pour les ordinateurs

En 1939, un météorologiste suédois, Rossby, reprit les équations, les simplifia, les schématisa. Elles se prêtaient alors mieux au calcul numérique. D'autre part, les progrès des calculateurs permettaient de nouvelles tentatives. A la fin de la Deuxième Guerre mondiale, on essaya à nouveau de mettre en application les idées géniales de Richardson. La prévision météorologique fut le premier problème «sérieux», sans doute l'un des plus difficiles, que les ordinateurs eurent à résoudre.

En 1949 à Philadelphie, un autre Américain, von Neumann, parvint à appliquer avec quelque succès le calcul numérique aux lois de l'atmosphère. Il utilisa une machine à calculer gigantesque qui pesait plus de 30 tonnes et qui consommait plus de 150 kilowatts, pour une puissance de calcul très inférieure aux micro-ordinateurs actuels. Premier succès : les calculs de l'«étrange machine» donnaient des résultats qui valaient bien ceux de la célèbre méthode du «chemin de fer»!

Aux environs des années 1960, les progrès de l'informatique permirent une nouvelle percée. La prévision numérique prit alors véritablement son essor. C'est la seule employée actuellement

Les très anciens calculateurs utilisés par la météorologie étaient d'une effroyable complexité. Le premier d'entre eux, l'ENIAC, un véritable monstre, ne comportait pas moins de 42 armoires, larges de 60 centimètres, hautes de 3 mètres et de 90 centimètres de profondeur. L'ensemble consommait 140 kilowatts à l'heure.

avec succès. Sa première
tâche consiste à concentrer
une multitude de relevés, de
données et de mesures.

L'atmosphère prise au filet

Afin d'effectuer les calculs de la
manière la plus rationnelle possible,
on entoure la planète d'un filet dont
les mailles sont régulièrement
espacées. Pour être plus précis,

on entoure la planète
de plusieurs filets
superposés. Cette
technique a pour
conséquence de
«découper l'atmosphère»
en une multitude de
boîtes. La première tâche
de l'ordinateur consiste
à attribuer à chaque point
de maille les valeurs
météorologiques les plus
proches possibles de
la réalité. Ce travail
préparatoire, très délicat,
conditionne largement
la qualité des prévisions
réalisées par la suite.
Il s'agit en quelque sorte
de schématiser le temps

Le directeur
du Centre
météorologique anglais
de Bracknell (ci-contre)
explique les résultats
des calculs effectués
par le Computer
Comet. Aux environs
des années 1960, tous
les grands services
météorologiques
avaient compris
l'intérêt de se doter de
puissants calculateurs.
En 1975, dix-huit pays
européens unirent
leurs moyens pour
créer le Centre de
prévisions à moyen
terme (CEPMMT),
également installé
dans la région de
Londres, à Reading.
Paradoxalement, le
développement très
rapide de l'informatique
pose aujourd'hui de
sérieux problèmes à
tous les chercheurs.
En effet, il ne faut
pas moins de cinq ans
pour mettre au point
des modèles
météorologiques de
plus en plus complexes,
comportant près de
300 000 lignes d'écriture.
Or, quand cet énorme
travail est terminé,
le code utilisé par les
machines est devenu
obsolète ou sur le point
de l'être. Faut-il, dans
de telles conditions,
condamner les
chercheurs à réécrire
sans cesse des
programmes dont
ils connaissent depuis
longtemps tous les
défauts et les qualités?

qu'il fait sur l'ensemble de la Terre à un moment donné. Les mailles d'un tel filet sont actuellement espacées d'une centaine de kilomètres. C'est encore trop, si l'on se place à l'échelle de certains phénomènes météorologiques. C'est peu, si l'on considère qu'il faut réaliser un tel maillage sur l'ensemble de la planète.

Le résultat de tous ces calculs est fourni sous forme d'images ou de cartes qui se trouvent immédiatement disponibles dans la plupart des Centres météorologiques. C'est ainsi qu'il existe des cartes des vents prévus, des pluies prévues, des températures prévues. Les images virtuelles peuvent être «animées» sur écran, de telle sorte que le prévisionniste a l'impression de voir se dérouler en «accéléré» sur son ordinateur le temps qu'il fera.

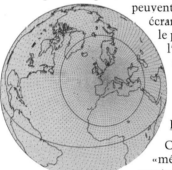

Prévoir, dit-elle

Contrairement aux «météorologistes amateurs» qui observent, parfois avec grand talent, les signes avant-coureurs du changement de temps qui s'annonce, la prévision numérique donne une «certaine avance» à ceux qui l'utilisent. A la différence de la méthode dite du «chemin de fer», elle ne se contente pas de déplacer des phénomènes atmosphériques à la surface du globe en tenant compte uniquement de la direction et de la force du vent. Grâce à elle, l'atmosphère «vit» sous les yeux du prévisionniste. Les dépressions naissent, se développent et meurent. Il en est de même pour les anticyclones. Les grands services météorologiques effectuent tous les jours des simulations du temps qu'il fera, sans dépasser une échéance de dix jours.

La prévision numérique recèle en outre d'énormes possibilités. En donnant l'image globale de l'atmosphère au cours des jours à venir, elle permet

L'atmosphère semble prise dans un filet (ci-dessus), ou plutôt dans une cage, compartimentée selon les trois dimensions. Pour obtenir une représentation plus précise des phénomènes météorologiques, on s'est attaché à réduire la taille de la maille des modèles numériques. La version française Arpège (à gauche) est à maille variable. On note la concentration des points de grille sur l'Europe occidentale.

Atmosphère

Terre

de multiples applications dans tous les domaines. La prévision des vents en surface sera d'une grande utilité pour les marins, alors que les pilotes prêteront davantage leur attention aux vents d'altitude. Les Services d'annonce des crues examinent en détail l'intensité des pluies prévues. Les producteurs d'énergie s'intéressent à l'évolution des températures. Les agriculteurs organisent leurs travaux en fonction des conditions météorologiques des prochains jours.

Observer d'abord, observer encore

Les océans couvrent 70 % de la surface de la planète. Ils forment un fantastique réservoir d'énergie qu'il faut nécessairement intégrer dans les simulations numériques afin de réaliser des prévisions climatiques plausibles. Les météorologues ont mis en place toute une armada de moyens techniques pour scruter ce qui se passe au-dessus de nos mers. Cinq mille navires sélectionnés (tel, à gauche, le *Léon-Thévenin*) parcourant les océans transmettent régulièrement leurs observations sous forme de messages codés selon les normes définies par l'OMM. Ces données sont en partie complétées par celles fournies par les bouées dérivantes, qui communiquent leurs informations aux centres météorologiques par l'intermédiaire du satellite. Le satellite lui-même, enfin, grâce à sa situation privilégiée, apporte une contribution importante et fournit d'excellentes images de la couverture nuageuse (ci-contre, en haut), y compris sur des routes peu fréquentées par les navires. Quelle que soit leur provenance, toutes les informations météorologiques sont regroupées, diffusées sur le réseau international par l'intermédiaire d'antennes de satellite (ici, celles installées par France-Télécom à Pleumeur-Bodou).

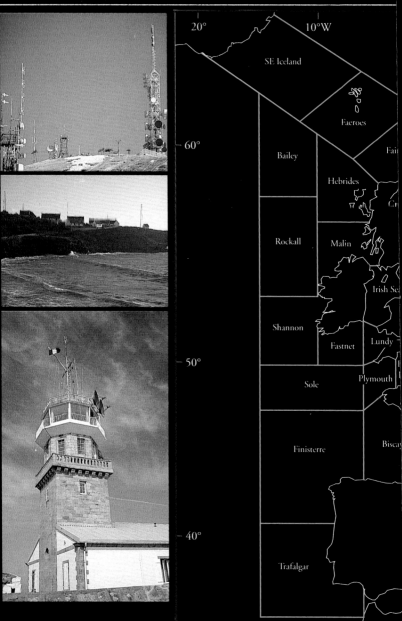

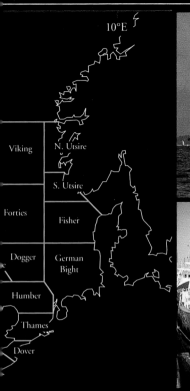

10°E

Viking

N. Utsire

S. Utsire

Forties

Fisher

Dogger

German
Bight

Humber

Thames

Dover

Les artisans de la sécurité en mer

La diffusion des observations et des prévisions météorologiques auprès des divers usagers de la mer conditionne la sécurité des personnes et des biens. Le travail des observateurs des sémaphores est, en ce sens, tout à fait remarquable (à gauche, celui de la pointe du Raz). En cours de journée, les avis de tempête sont affichés dans tous les sémaphores par l'intermédiaire de fanions disposés selon des normes internationales; la nuit, des lumières, disposées elles aussi de façon très précise, se substituent aux fanions. Les radios nationales ou régionales (à gauche, antennes de l'ancienne station du Conquet) diffusent régulièrement des bulletins météo à destination du grand large. La mer du Nord, la mer d'Irlande, la Manche, le proche Atlantique et la Méditerranée ont été divisés en zones, aux noms et emplacements bien connus des marins. L'accord entre pays européens sur les limites de ce découpage est difficile. Chacun éprouve le désir légitime d'avoir le plus grand nombre possible de zones près de ses côtes. Les limites présentées ci-contre sont celles utilisées par les marins anglais.

Jour	Signaux d'avis de tempête	Nuit
●	Grand frais toute direction	● ●
▲	Coup de vent ou tempête commençant dans le quadrant Nord-Ouest	○ ○
▼	Coup de vent ou tempête commençant dans le quadrant Sud-Ouest	● ●
▲	Coup de vent ou tempête commençant dans le quadrant Nord-Est	○ ●
▼	Coup de vent ou tempête commençant dans le quadrant Sud-Est	● ○
⌐	Saute de vent: changement de direction dans le sens des aiguilles d'une montre	
⌐	Saute de vent: changement de direction dans le sens contraire des aiguilles d'une montre	
✚	Ouragan (ou synonyme local) avec vent de force Beaufort 12 (64 noeuds et plus) dans toute direction	○ ● ○

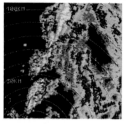

Le meilleur mathématicien du monde n'aboutira pas à la bonne solution si les données du problème sont en partie inexactes

Avec tous les moyens d'observation dont nous disposons, si puissants soient-ils, notre connaissance du temps qu'il fait reste imparfaite. Sauf coïncidence extraordinaire, les stations d'observation ne sont jamais situées au point de maille. Or, il n'existe aucune formule mathématique permettant de calculer la température, la pression ou l'humidité en fonction de la distance. La pression à Londres ou à Berlin ne vous fournit pas la moindre indication sur le niveau du baromètre à Paris.

L'ordinateur ne peut procéder que par approximation. Il utilise les observations au voisinage de chaque point de maille pour lui attribuer les valeurs météorologiques les plus «vraisemblables». De plus, les postes d'observation sont très irrégulièrement répartis nombreux sur les continents et sur l'hémisphère Nord, ils sont trop rares sur les océans et sur l'hémisphère Sud.

C'est à partir de ce schéma «approximatif» que sera calculé le temps qu'il fera. En admettant que les

Un écran de radar météorologique (à gauche) permet de détecter à la fois la localisation et l'intensité des précipitations. L'importance des chutes de pluie en cours est figurée par des zones de couleurs différentes : rouge, les pluies sont fortes; bleues, elles sont modérées... La portée des radars météo est d'environ 250 kilomètres.

calculs mathématiques ne souffrent d'aucune imperfection, ils ne pourront donner qu'une idée imparfaite des conditions météorologiques à venir. Dans de telles conditions, on comprend que les résultats obtenus s'écartent de la réalité au fur et à mesure que s'allonge l'échéance. Compte tenu des moyens utilisés actuellement, on considère qu'il est difficile de réaliser avec de bonnes chances de succès des prévisions au-delà de six ou sept jours d'échéance.

L'image ci-dessous ressemble à s'y méprendre à une photo de satellite. Il s'agit en fait d'une image de synthèse, obtenue en reportant sur un fond de carte géographique l'intensité du rayonnement infrarouge calculé au sommet de l'atmosphère.

L'atmosphère conserve ses secrets

Mais, à dire vrai, la prévision numérique est «aveugle» et n'explique rien. Les causes et les effets s'enchevêtrent, si bien qu'elle ne permet pas de comprendre l'origine des phénomènes atmosphériques qui se déroulent à la surface du globe. Le rôle du prévisionniste est celui d'un «spectateur éclairé» qui fait un constat. Il regarde les dépressions se combler ou se creuser, les anticyclones se renforcer ou s'affaisser... Seule son expérience lui permet de supputer les chances de réussite de tel scénario plutôt que de tel autre.

Dans la mesure où la simulation numérique est exacte, cette image se superposera à l'emplacement des zones nuageuses.

Depuis une vingtaine d'années, l'augmentation de la puissance de calcul s'est toujours traduite par une amélioration de la qualité des prévisions. De nombreux météorologistes estiment ce gain à environ une journée tous les cinq ans. Il paraît inévitable que la prise en compte de phénomènes de plus en plus nombreux, de taille de plus en plus réduite, devienne déterminante quand on

Comprendre l'atmosphère n'est pas une mince affaire! Les météorologistes ont toujours utilisé les techniques les plus perfectionnées dont ils disposaient, depuis les antiques cadrans, comme celui (à gauche) sur lequel un technicien apprécie les variations de la température en altitude, jusqu'aux satellites et aux images de synthèse.

voudra atteindre des échéances plus lointaines. Prévoir le temps sur de longues périodes exigera d'autres moyens et d'autres méthodes. Les méthodes de prévision numérique atteindront alors les limites de leurs possibilités. A leur sujet se sont développées de sérieuses polémiques qui, schématiquement, tournent autour de cette question : l'atmosphère est-elle «déterministe»? Autrement dit, sera-t-il possible un jour de savoir le temps qu'il fera plusieurs mois à l'avance?

Le battement d'ailes d'un papillon

On a cru longtemps, trop longtemps, qu'une faible erreur dans les conditions de départ se traduirait par de faibles différences sur les conditions d'arrivée. Mais cette «quasi-certitude» est de plus en plus contestée. Dès 1963, un météorologiste américain, E. N. Lorenz, montrait que l'évolution de l'atmosphère était très dépendante des conditions initiales. Il s'était

aperçu, à la suite d'une simple erreur de manipulation, que les résultats des calculs étaient fort différents, selon qu'ils étaient effectués avec trois ou six chiffres après la virgule. Il prouvait ainsi que la prise en compte d'un phénomène minime pouvait modifier de fond en comble les résultats. Lorenz traduisit joliment cette constatation en assurant que le battement d'ailes d'un papillon dans la forêt amazonienne pouvait causer une tempête dans une autre partie du monde quelques mois plus tard.

Les théories sur le «chaos», auxquelles se rattache la démonstration de Lorenz, pourraient bien un de ces jours prochains aboutir à la conclusion que toute prévision à longue échéance (au-delà de deux semaines) est impossible, quels que soient les moyens mis en œuvre. Cette impossibilité tiendrait à la

Après d'innombrables calculs, les modèles fournissent l'ensemble des paramètres météorologiques fournis pour les jours à venir. La carte de gauche montre les zones humides en altitude. Les couleurs indiquent la valeur du taux d'humidité. Quand il atteint 100 % (couleur rouge), il assure la présence de nuages. De plus, c'est une forte présomption de pluie que d'autres renseignements viendront confirmer ou infirmer.

structure du système et non pas à sa complexité. L'imprévisibilité serait alors dans sa nature même. L'obstacle serait alors de telle taille que la plupart des mathématiciens, physiciens, météorologistes pensent qu'on ne pourra jamais le franchir. Et même le déterminisme nécessite à la fois une connaissance parfaite des lois de la nature et une grande précision dans les conditions initiales.

Les humeurs du Soleil

Il paraît dorénavant très probable que le paramètre du temps-qui-passe constitue le principal obstacle à la prévision du temps-qu'il-fera. Qu'ils concernent le Soleil ou la

L'évolution future de l'atmosphère est aussi difficile à décrire que celle de la fumée d'une cigarette : si le calcul permet de prévoir les premières volutes, celles-ci deviennent rapidement trop complexes pour qu'il puisse en rendre compte. Le moindre souffle d'air peut donner au panache une forme totalement différente. A propos de l'atmosphère, et après avoir posé l'absolue nécessité de connaître jusque dans d'infimes détails l'état initial pour pouvoir imaginer les changements futurs, Lorenz a montré qu'au-delà d'une certaine limite son évolution devenait aléatoire. Il fit part de ses conclusions dans une conférence au titre très audacieux : «Le battement des ailes d'un papillon au Brésil peut-il déclencher une tornade au Texas?»

Une nouvelle ère a commencé avec le lancement du premier satellite météorologique Tiros 1 en 1960. Les images de la couverture nuageuse ont apporté une aide précieuse aux prévisionnistes. A gauche, un technicien américain prépare des cartes du temps à partir de photos transmises par le satellite Nimbus. Le rôle des satellites s'est depuis considérablement élargi. Ils sont capables, grâce au rayonnement reçu, de reconstituer le profil thermique de l'atmosphère.

Terre, certains phénomènes déterminants pour l'atmosphère ne peuvent être envisagés que sur des durées variant de la dizaine au millier, voire au million d'années. Face à de telles durées, les échéances, aussi ambitieuses soient-elles, du prévisionniste, relèvent de la courte vue. Pour apprécier à l'échelle d'un tel temps immédiat les conséquences de cycles se répétant au cours d'un temps immense, la météorologie doit intégrer les acquis et les hypothèses d'autres sciences, comme l'astronomie, la géologie, la volcanologie, la physique, la climatologie… Car si l'irrégularité,

Le petit âge glaciaire s'est déroulé entre le XVe et le XIXe siècle. Les peintures de Bruegel (ci-dessus) donnent idée de l'extrême rigueur de son climat. Un tel phénomène s'est produit à plusieurs reprises. Les astronomes l'expliquent par des fluctuations du cycle solaire à intervalles réguliers, tous les trois cent quatorze ans.

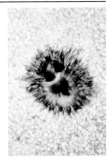

la discontinuité, le chaos échappent au calcul numérique, il faut chausser d'autres lunettes, utiliser d'autres instruments et appliquer d'autres logiques pour comprendre et tenter de prévoir le temps.

Dès l'Antiquité, en Orient, les astronomes ont découvert que le Soleil présentait de temps à autre des taches à sa surface. Au XVIIᵉ siècle, Galilée confirma ces observations. Elles résultent de l'activité plus ou moins grande du Soleil. Ces taches délimitent des zones de plusieurs milliers de kilomètres où la température est en moyenne inférieure de 2 000 °C à celle qui règne par ailleurs à sa surface. Elles n'ont qu'une faible influence sur le rayonnement solaire. Il est légèrement atténué, d'environ un watt par mètre carré. Au XIXᵉ siècle, un astronome amateur, Heinrich Schwabe, constata que les fameuses taches revenaient régulièrement tous les onze ans. Les archives météorologiques ne font apparaître aucune périodicité d'une durée de onze ans.

Les astronomes ont montré que le cycle de l'activité solaire connaissait des irrégularités. A intervalle régulier, environ tous les trois cents ans, le Soleil «respire». En de telles occasions, son diamètre augmente d'environ 2 000 kilomètres; il tourne moins vite sur son axe et sa luminosité diminue. La Terre reçoit alors un peu moins d'énergie et la constante solaire accuse une diminution de l'ordre de 1 %. Ces faiblesses passagères du Soleil durent environ soixante-dix ans. Année après année, le cumul de ces déficiences énergétiques n'est pas négligeable.

Observées dès l'apparition de la lunette, les taches solaires correspondent à des périodes d'intense activité du Soleil. Leur influence sur le climat n'a jamais été prouvée.

❝C'est le père Scheiner, jésuite d'Ingolstadt, qui appela le premier l'attention sur les taches solaires. Après ses observations réitérées, il alla consulter le Père provincial de son ordre. «Allez, mon fils, lui fut-il répondu, et tranquillisez-vous, ce sont des défauts de vos verres ou de vos yeux que vous prenez pour taches dans le Soleil.❞
Camille Flammarion, *Astronomie populaire*

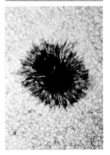

Pas si ronde qu'on la dit

Le diamètre de la Terre est de 12 750 kilomètres à l'équateur ; il n'atteint que 12 710 kilomètres entre les deux pôles. La forme, légèrement aplatie, quelque peu enflée vers les régions équatoriales, provoque des inégalités dans l'attraction qu'exercent le Soleil et la Lune. Résultat, la Terre ne tourne pas parfaitement rond. Son mouvement est tout

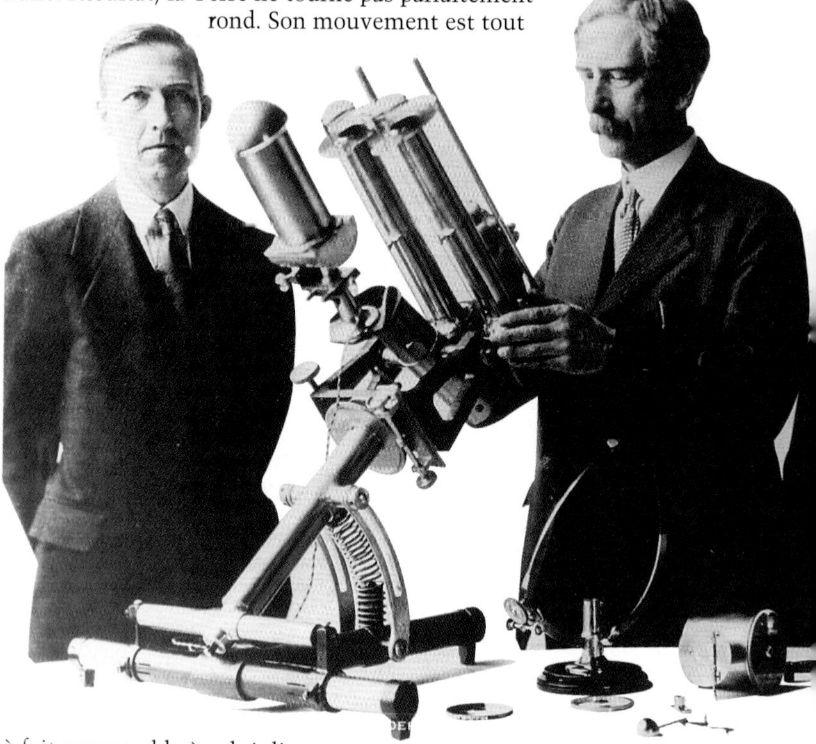

Le Dr Charles Abbot (ci-dessous, au centre), secrétaire du Smithsonian Institute, affirmait, en 1930, que la chaleur produite par le soleil variait de jour en jour et que la

à fait comparable à celui d'une toupie. Elle oscille et son axe de rotation oscille avec elle. Compte tenu des perturbations apportées par la présence des astres environnants, il faut près de 22 000 ans pour que l'axe de rotation se retrouve dans une position similaire. Ce mouvement est appelé «précession des équinoxes». L'une de ses conséquences les plus importantes est que la position des équinoxes et des solstices n'est pas fixe sur

température terrestre réagissait à ces changements. A droite, l'inventeur des étranges instruments : le pyrhéliomètre à double disque d'argent et le pyranomètre, encore en usage pour mesurer le rayonnement global.

l'ellipse. La distance Terre-Soleil n'est donc pas la même pour une saison donnée. Une telle modification affecte le contraste entre les saisons avec les conséquences que l'on peut facilement imaginer sur les calottes polaires.

De plus, ce mouvement périodique de l'axe des pôles ne se reproduit jamais d'une manière parfaitement identique. L'inclinaison de cet axe par rapport au plan de l'ellipse n'est pas constante. Elle subit, elle aussi, une variation périodique due à l'attraction exercée par les planètes environnantes. Elle oscille entre 65,5° et 68,2°, tous les 41 000 ans. Or, l'inclinaison de l'axe de la Terre est précisément la cause des grands écarts d'insolation d'un pôle à l'autre.

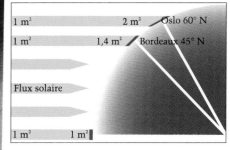

1 m²	2 m²	Oslo 60° N
1 m²	1,4 m²	Bordeaux 45° N
Flux solaire		
1 m²	1 m²	

En combinant tous ces paramètres, un mathématicien Serbe, M. Milankovitch, tint compte de l'inclinaison des rayons solaires pour expliquer les changements annuels de la température sur les différentes

régions du globe. Il formula ainsi une véritable théorie astronomique de la variation des climats. Cette théorie est en grande partie confirmée par des découvertes récentes sur les climats passés.

Plus ou moins puissant en fonction de la latitude du lieu où se situe l'observateur, le rayonnement solaire reçu par la surface de la Terre varie et produit donc des températures différentes. Au niveau de l'équateur une surface de 1 m² reçoit ainsi la même quantité d'énergie que 2 m² dans la région d'Oslo (schéma ci-contre, au centre).

En une année, la Terre décrit une ellipse autour du Soleil et sa distance varie par rapport à cet astre central de notre système. Actuellement, c'est pendant l'été de l'hémisphère Nord que la Terre est la plus éloignée du Soleil; il y a 13 000 ans, au contraire, c'était au cours de l'hiver. L'axe terrestre décrit un cône dans l'espace en effectuant une révolution tous les 26 000 ans (schéma ci-contre). Cette modification entraîne des variations de l'énergie solaire reçue par la planète. Il en découle d'importants changements climatiques, sans doute à l'origine des grandes périodes de glaciation.

118

Les fureurs de la Terre

Les éruptions volcaniques
développent une puissance
considérable. Lors des
explosions les plus violentes,
celles du Tambora (1815), du Krakatoa
(1883), la secousse fut ressentie quel que
soit l'endroit de la Terre. En de telles
occasion, le jet d'eau chaude, de
vapeurs, de cendres ou de
pierres se propage à des
altitudes considérables,
jusqu'à 20 000 mètres.
La masse des
poussières envoyée
dans l'atmosphère est
impressionnante,
estimée à 10 ou 100
millions de tonnes. En
faisant écran au rayonnement
solaire, cette introduction massive
de poussières a des conséquences
sur le climat. On estime que la
baisse moyenne de la
température à la surface de la
Terre fut de l'ordre de 0,5 °C
lors de l'éruption du Tambora
en 1815. L'année suivante
offrit à de nombreuses
régions de la Terre nuages,
pluies et fraîcheur. Elle fut
qualifiée d'«année sans
été». Plus récemment,
l'éruption du

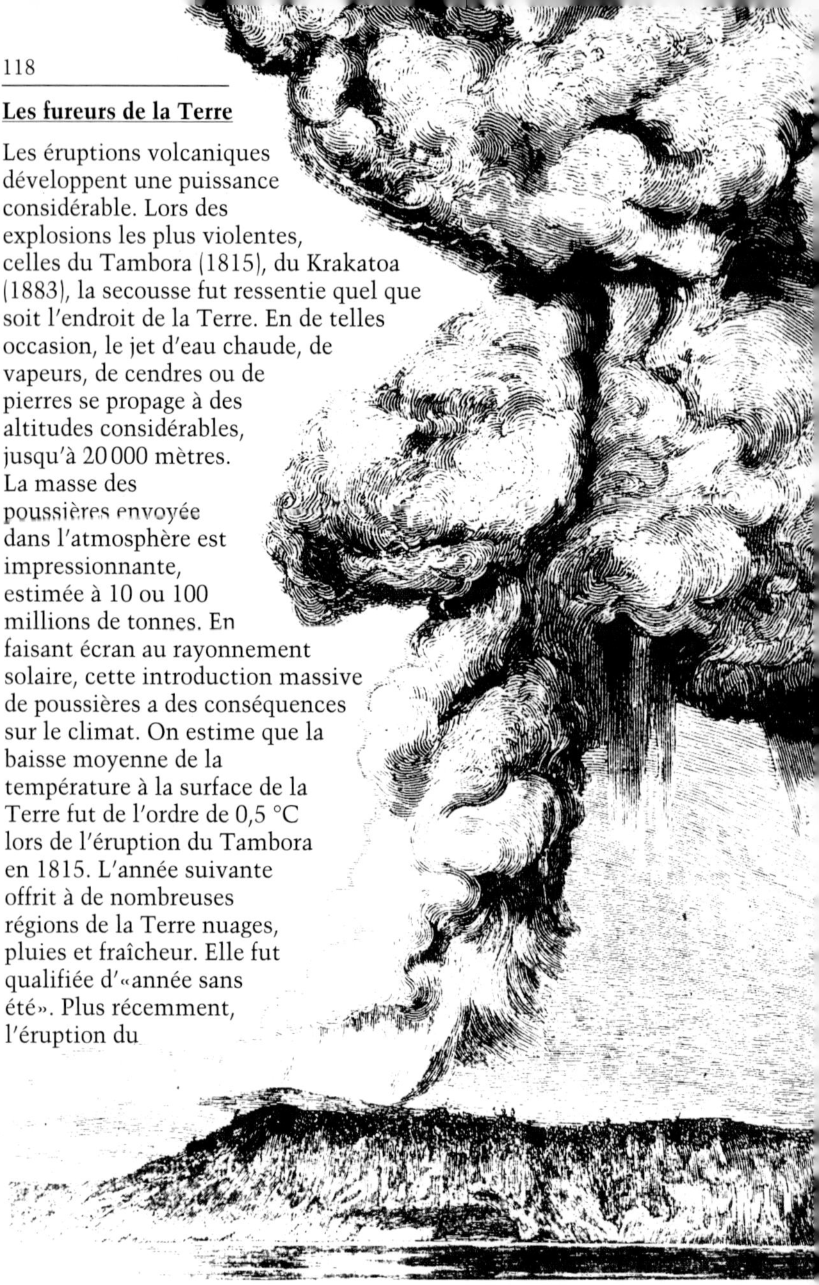

La dernière grande explosion volcanique connue est celle du Pinatubo (ci-contre), dans les Philippines, en 1991. Son panache fut propulsé dans la stratosphère jusqu'à 40 kilomètres d'altitude. A cette occasion, de nombreux cristaux de dioxyde de soufre furent introduits dans l'atmosphère. On les voit, ci-dessous sur une photographie de la NASA, littéralement ceinturer notre planète. Leur présence a modifié la nature et l'intensité du rayonnement solaire.

Pinatubo en juin 1991 aux Philippines provoqua la formation d'un vaste nuage de poussières dans la stratosphère, aux environs de 16 000 mètres d'altitude. Une véritable ceinture de poussières entoura la Terre. Elle eut pour conséquence immédiate de fausser toutes les mesures effectuées à partir de satellites. Les images devinrent inexploitables.

Mais, dans tous les cas, il faut souligner que les conséquences de ces phénomènes lumineux ou thermiques ne furent jamais très durables. Autrement dit, après de tels cataclysmes, le climat se refroidit passagèrement pendant deux ou trois années avant de retrouver son état d'équilibre. Même si cela n'est pas trop grave sur le plan météorologique, les éruptions volcaniques apportent la preuve que le climat de la planète «réagit», qu'il n'est pas insensible, ni

En 1883, l'éruption du Krakatoa en Indonésie (page de gauche) fut si violente que 10 à 100 millions de tonnes de poussières furent rejetées dans l'atmosphère. Cette modification de sa composition entraîna un refroidissement général de la planète pendant quelques années et divers phénomènes lumineux.

immuable. Il peut être, plus ou moins, perturbé par des phénomènes naturels parfaitement incontrôlables.

Fabriquer des nuages, lutter contre le gel

De superstitions en superstitions, de processions en processions, de prières en prières, nos ancêtres auraient bien aimé que le ciel tienne davantage compte de leurs desiderata. L'avènement de la science n'a pas changé la nature de ces ambitions.

Une meilleure compréhension de certains phénomènes atmosphériques a permis d'imiter la nature dans quelques domaines bien particuliers. C'est ainsi que l'on parvint à fabriquer des nuages en provoquant le réchauffement de l'air dans les basses couches de l'atmosphère par divers moyens (brûleurs, feux de brousse). De même, les expériences de pluie artificielle se soldèrent par des succès limités. Après avoir constaté que certains nuages froids étaient composés exclusivement de

Benjamin Franklin et son paratonnerre (ci-dessus) fournissent l'un des rares exemples où l'intervention de l'homme sur le temps fut et reste efficace.

Le Météotron, expérimenté sur le plateau de Lannemezan aux environs des années 1960 (haut et bas de page), prouva que les théories formulées sur la formation des nuages étaient bien exactes. Il démontra en même temps notre impuissance à mettre en jeu les quantités d'énergie nécessaires pour fabriquer quelques cumulus de taille respectables.

gouttelettes d'eau surfondue et que les cristaux de glace n'étaient pas assez nombreux pour que le processus de formation des précipitations puissent s'enclencher, des cristaux analogues ont été introduits artificiellement. Résultats encourageants, de tels nuages ont alors donné les pluies attendues.

D'autres tentatives pour influer sur les conditions météorologiques ont été faites avec plus ou moins de succès. Malgré la diversité des moyens utilisés, la lutte contre le gel reste aléatoire. On parvient à réduire le risque en évitant les plantations dans les bas-fonds, en enveloppant les plantes afin de freiner la déperdition de chaleur, en créant des brouillards artificiels, en réchauffant l'air environnant par la combustion de pétrole ou autres produits inflammables, en brassant l'air... les idées ne manquent pas, toutes difficiles à mettre en œuvre! En fin de compte, seul le paratonnerre de Benjamin Franklin fait preuve, depuis longtemps déjà, d'une réelle efficacité.

Difficile d'agir sans jouer les apprentis sorciers quand de nombreux phénomènes météorologiques et climatiques sont encore peu ou mal expliqués. Les viticulteurs italiens eurent beau mener une guerre implacable contre la grêle (double page suivante), leur lutte se solda par une incontestable victoire des cumulonimbus.

L'effet de serre, c. q. f. d.

Depuis fort longtemps, les amateurs de jardinage, pour accélérer le développement de leurs plantes, les placent à l'intérieur d'une serre. Ils leur «fabriquent» un micro-climat! Les feuilles de plastique (ou les vitres) qui constituent la serre laissent passer les rayons du soleil. Cette énergie solaire est absorbée par le sol et les plantes. Mais à leur tour, sol et plantes émettent un rayonnement infrarouge, dont la longueur d'onde n'est pas la même que celle du rayonnement solaire. Il ne parvient pas à franchir l'écran constitué par la vitre ou la feuille de plastique. «Piégé» à l'intérieur de la serre, il maintient une température plus élevée qu'à l'extérieur. Atmosphère plus chaude, humidité plus élevée, les conditions climatiques sont alors plus favorables au développement des plantes.

Tous les corps «rayonnent». Ils émettent un rayonnement dit infrarouge dont l'intensité dépend de leur seule température. Cette relation de cause à effet est d'autant plus remarquable qu'elle est réciproque : la mesure du rayonnement permet de déterminer la température du corps qui l'émet.

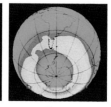

En bloquant les rayons ultraviolets, extrêmement nocifs, la couche d'ozone est indispensable à notre existence. Ce gaz, épars dans l'atmosphère, s'étend sur une hauteur considérable. Comprimé à la pression normale, la couche ne mesurerait que 3 millimètres d'épaisseur. Or, sa concentration aux pôles semble diminuer régulièrement d'une année sur l'autre.

L'effet de serre a pris naissance sur la Terre le jour où l'atmosphère s'est constituée autour d'elle. Nécessaire, il doit rester dans certaines limites, pour éviter à la Terre un réchauffement ou un refroidissement excessif.

Flux solaire

340

Rayonnement réfléchi
100

Atmosphère

Rayonnement atmosphérique
240

70
Rayonnement absorbé

Nuages

400
Rayonnement infra-rouge de la terre

330
Rayonnement captif

100
Transfert de chaleur (masses d'air ascendantes)

170

valeurs en W/m²
(moyenne sur toute la surface de la terre)

Le bouclier atmosphérique

Entre le Soleil, la Terre et l'atmosphère, tout se déroule d'une manière analogue à la serre de notre vaillant jardinier. Le rayonnement solaire traverse sans difficulté les différentes couches de l'atmosphère. Une partie de cette énergie solaire est absorbée par la Terre. Par ailleurs, la Terre perd de l'énergie en émettant un rayonnement infrarouge

Les images du satellite américain montrent l'évolution du trou dans la couche d'ozone (marqué en violet autour du pôle sud) aux mois d'octobre 1979, 1981, 1983, 1985, 1987, 1989 (ci-dessous). C'est au cours des mois de septembre et octobre

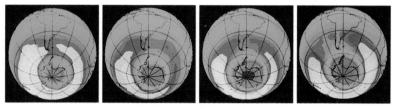

équivalent à 240 watts par mètre carré d'après les mesures effectuées par satellite. Si une telle énergie était irrémédiablement perdue, la température ne dépasserait pas -18 °C à la surface de la Terre. Mais, fort heureusement, cette énergie est absorbée aux neuf dixièmes par la vapeur d'eau, les nuages et le gaz carbonique présents dans notre atmosphère…

L'effet de serre joue son rôle et c'est à lui que nous devons les températures relativement clémentes, voisines de 15 °C en moyenne sur le globe. Il est à

que la destruction de la couche d'ozone est la plus rapide, car le phénomène apparaît relativement saisonnier. La couche d'ozone se reconstitue au cours des autres mois. L'inquiétude provient du fait que chaque année, à la même époque, le trou est un peu plus important que l'année précédente.

La serre utilisée par les jardiniers reproduit tous les mécanismes propres à l'effet de serre atmosphérique. La feuille en plastique y joue le rôle de l'atmosphère.

remarquer que si la Terre ne perdait pas une partie de l'énergie qu'elle reçoit, elle deviendrait vite inhospitalière tant la température serait élevée. Ainsi, dans l'atmosphère de Vénus, composée à 100 % de gaz carbonique, la température est constamment aux environs de 450 °C. Invivable! Notre présence sur terre est tributaire d'un effet de serre «limité». Or, cet équilibre est largement conditionné par un «bon dosage» du gaz carbonique. Si, par malheur, sa concentration devenait trop forte, il pourrait bien causer notre perte en donnant trop d'intensité à l'effet de serre.

Pour la première fois de son histoire, l'homme est en mesure de modifier sensiblement le climat de la planète

L'industrie, le chauffage, l'automobile, ajoutés à la déforestation, produisent chaque année 20 milliards de tonnes de gaz carbonique, auquel il faut ajouter d'autres gaz : oxyde d'azote, méthane, ozone, etc. – selon les experts de l'Organisation météorologique mondiale, leur influence sur notre climat serait tout aussi importante que celle du gaz carbonique. En trop grande quantité dans notre atmosphère, ils modifient

Ce centre de recherches sur le smog, établi dans la Ruhr en 1965 (ci-dessus), était un précurseur. Désormais les problèmes de pollution ont pris une telle acuité que la plupart des grandes villes surveillent en permanence la qualité de l'air. Le smog britannique, auquel vinrent s'ajouter des conditions météorologiques très défavorables, fit près de 4 000 morts à Londres en 1952. Depuis, la qualité de l'air s'est nettement améliorée sur la capitale anglaise, grâce, en grande partie, à la suppression des systèmes de chauffage utilisant le charbon.

le rayonnement solaïre et interviennent dans le déroulement des phénomènes météorologiques.

Si la tendance actuelle se maintient, le taux de concentration de tous ces gaz doublera vers les années 2050, hypothèse réaliste, compte tenu des valeurs enregistrées au cours de ces dernières décennies. Toutes les simulations faites par ordinateur, aux Etats-Unis, en Angleterre ou bien en France vont dans le même sens : la Terre subirait un «coup de chaleur». Les expériences les plus sérieuses estiment l'augmentation moyenne de la température du globe entre 1,5 °C et 4,5 °C. Mais une telle évaluation manque de précision. Selon les «modèles climatiques» utilisés, la répartition de ces degrés supplémentaires n'est pas du tout la même. En admettant qu'il y ait bien une hausse de la température terrestre, il est extrêmement difficile d'en mesurer, ou même d'en imaginer, les conséquences. Faut-il pour autant s'abstenir de toutes précautions?

En raison de sa situation en altitude et de sa croissance démentielle, Mexico (ci-dessus) est l'une des villes les plus polluées du monde.

Le sigle ci-dessous, apposé sur les aérosols, témoigne de la volonté mondiale croissante de préserver notre atmosphère.

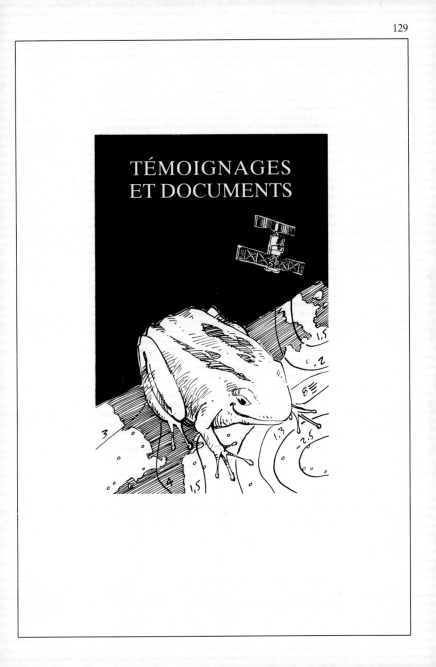

L'enfance grecque de la météorologie

Au VIe siècle av. J.-C., Thalès de Milet avait affirmé que la Lune était éclairée par le Soleil. Un siècle plus tard, un autre philosophe ionien, Anaximandre, définissait le vent comme un « flux d'air » et estimait que le tonnerre se produisait par la suite du frottement des nuages entre eux. Reprenant le flambeau, Anaxagore déduisait que l'éclair résultait de la chute brutale d'une partie de l'éther… Parfois fantaisiste, la météorologie antique se dégageait de la mythologie.

Hérodote le voyageur fit connaître aux Grecs la variété des climats, les mystérieuses crues du Nil et le froid rigoureux qui sévit dans les steppes, au nord de la mer Noire. Hippocrate le médecin, auteur du traité Des airs, des eaux, des lieux et des vents, *préconisait l'étude de l'atmosphère et de ses variations, car il jugeait prépondérante leur influence sur la santé de l'homme. On prétend qu'Empédocle, surnommé le « maître des vents », en faisant barrer par des peaux d'ânes cousues et tendues le passage entre deux montagnes, avait réussi à préserver les habitants d'Agrigente des vents étésiens, porteurs de maladies terribles… Dans le même temps, Démocrite, appliquant ses théories atomistes aux mouvements de l'atmosphère, imaginait le déplacement des tempêtes.*

A travers la météorologie, c'est la science qui s'impose au monde grec; le sujet est d'une telle importance qu'il trouve un écho chez les poètes comiques.

Aristophane, Zeus et « Les Nuées »

La comédie d'Aristophane met en scène un curieux personnage appelé Socrate. Celui-ci a peu de rapport avec le Socrate historique : c'est un sophiste spécialisé dans les spéculations météorologiques, qui adore les nuées et renie les dieux traditionnels du Panthéon. Ce météorologue est à la fois ridicule (par son comportement comme par son discours) et dangereux (il remet en cause les valeurs morales et religieuses établies).

Jean-François Staszak, « Quand les Grecs se moquaient des météorologues », in *La Météorologie*, n° 7, septembre 1994

SOCRATE. — Venez donc, Nuées tant vénérées, venez vous montrer à cet homme, soit que vous siégiez sur les cimes sacrées de l'Olympe battues par la neige, soit que dans les jardins d'Océan votre père vous formiez un chœur sacré pour les Nymphes, soit qu'aux bouches du Nil vous puisiez ses ondes dans des aiguières d'or, soit encore que vous habitiez le lac Méotis ou le rocher neigeux du Mimas (v. 269-273). LES NUÉES [à Socrate]. — Salut, [...] pontife des plus subtils bavardages, dis-nous ce que tu désires. Car à nul autre que toi nous ne prêterons l'oreille parmi les sophistes transcendants (*meteôro-sophistôn*) d'aujourd'hui (v. 358-260). SOCRATE. — Quel Zeus, que dis-tu là ? Aucun Zeus n'existe. STREPSIADE. — Comment ! Mais qui donc fait pleuvoir ? Explique-moi cela avant tout. SOCRATE [montrant les nuages]. — Elles, sans doute ; et je t'en donnerai des preuves formelles. Voyons, où as-tu jamais vu ton Zeus faire pleuvoir sans les nuées. Pourrait-il faire tomber la pluie sans elles dans un ciel serein ? (v. 375-377)

Aristophane, *Les Nuées*

Platon : «Des sujets auxquels je n'entends rien.»

Platon, s'il ne s'intéresse guère aux météores, se passionne pour la météorologie et les météorologues. Soit il se livre à une attaque; soit, au contraire, il prend la défense du météorologue qui subit les attaques des jaloux et des innocents (il semble qu'il défende Socrate contre Aristophane). Aussi peu compatibles que semblent les deux positions, elles coexistent dans les discours platoniciens, selon les personnages qui prennent la parole et – probablement – selon le degré d'ironie du texte.

Jean-François Staszak, *op. cit.*

Il faut donc donner lecture de la plainte : «Socrate est coupable de travailler témérairement à scruter les choses qui sont sous la terre comme

A ristote.

celles qui sont dans le ciel [météorologie : *ta te hupo gês kai ourania*], à faire de la cause la plus faible la cause la plus forte et d'enseigner à d'autres à en faire autant [sophisme].» Voilà à peu près de quelle sorte est la plainte. C'est en effet ce que vous avez vu par vous mêmes dans la comédie d'Aristophane : vous y avez vu un certain Socrate qu'on fait circuler sur la scène, déclarant qu'il s'élève dans les airs, et racontant mille sornettes sur des sujets auxquels, ni peu, ni prou, je n'entends rien ! Ce n'est pas que, en parlant ainsi, j'aie la pensée de dénigrer cette science, à supposer qu'il y ait quelqu'un de savant en ces sortes de matières : puisse-je n'avoir d'aucune manière à échapper à semblable grief de la part de Mélètos ! Toujours est-il, Athéniens, que ce sont là des choses auxquelles je suis complètement étranger, et c'est au témoignage personnel de la plupart d'entre vous que je fais appel, je vous demande de vous renseigner mutuellement, de déclarer quels sont ceux qui m'ont entendu jamais discuter là-dessus. Or ils sont nombreux parmi vous ceux qui m'ont entendu ! Parlez donc, dites-vous les uns aux autres, si, parmi vous, il y en a un qui m'ait entendu jamais, peu ou prou, discuter de ces sortes de questions ! Cela vous permettra de vous rendre compte que tout ce qui se raconte encore généralement sur moi est à l'avenant

Platon, *Apologie de Socrate*, 19 b-d

Vinrent enfin Aristote et ses «Météorologiques»!

Héritier d'Empédocle, dont il reprend la théorie des quatre éléments (l'air, la terre, l'eau et le feu), disciple de Platon, et comme lui attaché à l'Idée, continuateur, enfin, des théories matérialistes et

T halès de Milet.

atomistes de l'école de Milet, Aristote écrit, vers –334 le premier traité complet de météorologie : Les Météorologiques.

Parlons maintenant du lieu qui par sa position est le second après celui-ci, mais qui est le premier autour de la terre. C'est le lieu commun de l'eau et de l'air et des phénomènes qui accompagnent la formation de l'air et de l'eau dans la région supérieure. Il faut chercher également les principes et les causes de tous ces phénomènes.

Le premier de ces principes, comme moteur et comme supérieur, c'est le cercle dans lequel évidemment la révolution du soleil, divisant et réunissant selon qu'il est plus rapproché ou plus loin, est cause de la génération et de la destruction des choses. La terre étant immobile, le liquide qui l'entoure vaporisé par les rayons du soleil et par toute la chaleur qui vient d'en haut, est porté vers le haut. Quand la chaleur qui l'a élevé vient à manquer, soit qu'elle se disperse dans la région supérieure, soit même qu'elle s'éteigne parce qu'elle est emportée plus loin dans l'air qui est au-dessus de la terre, la vapeur refroidie par la disparition de la chaleur et par le lieu se réunit de nouveau, et redevient eau, d'air qu'elle était ; l'eau ainsi reformée est portée derechef vers la terre.

L'exhalaison qui vient de l'eau est de la vapeur ; et l'exhalaison de l'air changée en eau, est un nuage. Le brouillard est le résidu de la conversion du nuage en eau ; et c'est là ce qui fait qu'il annonce du beau temps plutôt que de la pluie ; car le brouillard est comme une sorte de nuage qui n'est pas formé. Du reste le cercle de ces phénomènes imite le cercle du soleil ; car en même temps que le soleil poursuit sa course oblique et changeante, en même temps l'autre cercle va aussi tour à tour en haut et en bas : et il faut le regarder comme un fleuve qui coule en haut et en bas circulairement, et qui est tout à la fois composé d'eau et d'air. Ainsi quand le soleil est proche, le fleuve de la vapeur coule en haut ; quand il est éloigné, le fleuve de l'eau coule en bas ; et cela semble se faire sans interruption avec une certaine régularité, de telle sorte que cet Océan, dont les anciens ont dit quelques mots, pourrait bien être pris pour ce fleuve qui circule autour de la terre.

Le liquide étant toujours élevé par la puissance de la chaleur, et étant précipité de nouveau par le refroidissement vers la terre, on a donné des noms fort convenables à ces phénomènes et à quelques-unes de leurs variétés ; quand les parties qui tombent sont très ténues, on les appelle ondée, et quand les parties sont plus grosses, on les appelle de la pluie.

Les Météorologiques, livre I, chapitre IX

Ciel pommelé, femme fardée...

Souvent énoncés en vers, les dictons météorologiques révèlent une science des plus populaires de la prévision du temps à l'usage des paysans et des marins. Fantaisistes ou hasardeux, ils sont un mélange savoureux de traditions, de croyances et de superstitions.

Aigle. Quand l'aigle est arrivé / Ne crains plus la gelée.

Ail. Ail mince de peau / Hiver court et beau.

Ambroise. A la saint Ambroise / Du froid pour huit jours. (7 décembre)

André. Neige de saint André / Peut cent jours durer. (30 novembre)

Angèle. Après sainte Angèle / Le jardinier ne craint plus le gel. (24 mai)

Anne. S'il pleut à la sainte Anne / Il pleut un mois et une semaine. (30 novembre)

Antoine. Saint Antoine sec et beau / Remplit caves et tonneaux. (17 janvier)

Araignée. Araignée tissant / Mauvais temps.

Arc-en-ciel. Arc-en-ciel du matin / Met la pluie en train.
Arc-en-ciel du soir / Fait du bon temps prévoir.

Aronde. Si vole bas l'aronde / Attends que la pluie tombe.

Automne. Brouillard d'automne / Beau temps nous donne.

Blanc. Soleil blanc / Mouille les gens.

Bleu. Ciel bleu foncé / Vent renforcé.

Brouillard. Brouillard dans la vallée / Pêcheur fais ta journée / Brouillard sur le mont / Reste à la maison.

Brume. Brume basse / Beau temps amasse.

Catherine. Pour sainte Catherine / Les arbres prennent racine. (25 novembre)

Chandeleur. A la Chandeleur / Le froid fait douleur.

Ciel. Ciel pommelé, femme fardée / Ne sont pas de longue durée.

Coucou. Chant de coucou / Temps doux.

Delphine. A sainte Delphine / Mets ton manteau à pèlerine. (26 novembre)

Etoile. Firmament bien étoilé / Changement de temps peu éloigné.

Gelée. Gelée blanche au croissant / Beau temps / Gelée blanche en décours / Pluie sous trois jours.

Grenouille. Si chantent les grenouilles / Demain, temps de gribouille.

Hirondelle. Quand les hirondelles volent haut / Le temps sera beau.

Lune. Lorsque la lune est rousse / Ou il pleut ou il souffle.

Médard. Quand il pleut à la saint Médard / Il pleut quarante jours plus tard. (8 juin)

Noël. Noël au balcon / Pâques aux tisons.

Nuages. Barbes de chat aux nuages / Annoncent de vent grand tapage.

Orage. Les orages viennent toute l'année / Du côté d'où est venu le premier.

Pic-vert. Quand le pivert crie / Pas loin est la pluie.

Pierre. Saint Pierre pluvieux / Trente jours douteux. (29 juin)

Pluie. Pluie du matin / Ne gêne pas le pèlerin.

Rainette. La rainette de sortie / S'en va chercher la pluie.

Raymond. S'il gèle à la saint Raymond / L'hiver est encore long. (6 janvier)

Soleil. A son lever grand soleil : petit vent / A son coucher petit soleil : grand vent.

Suroît. Suroît le doux / Quand il se fâche, il devient fou.

Temps. Temps, vent, femme et fortune / Tournent comme la lune.

Vent. Dis-moi les vents / Je te dirai tous les temps.
Si contre le vent la mer frise / Saute de vent vient en surprise.

L'expérience de Pascal

Trois ans après les démonstrations de Torricelli sur la pression atmosphérique, Pascal propose une idée pleine de bon sens : si la colonne de mercure du baromètre correspond bien au poids de l'air, elle doit diminuer quand on s'élève. Retenu à Paris, il confie à son beau-frère, Florin Périer, la réalisation de l'expérience au Puy-de-Dôme. Lui-même confirmera les résultats au pied et en haut de la tour Saint-Jacques.

La grande expérience de l'équilibre des liqueurs

Nous sommes en 1647. «L'expérience du vif-argent» [le mercure] de Torricelli a passionné tous les savants. […] Mais quelle est la cause de ce nouveau phénomène? Pourquoi le mercure se maintient-il, dans le tube, à une hauteur fixe, voisine de 76 centimètres. Les avis sont partagés. […]

Pascal, avec quelques autres savants, cherche la raison dans l'existence même de l'air atmosphérique. […] Avec le Père Mersenne, et peut-être après Descartes, il pense que si la pesanteur de l'air est bien la cause des phénomènes observés, la pression de cet air – appelée aujourd'hui pression atmosphérique – doit diminuer avec l'altitude. Aidé de Périer, Pascal donnera à son idée une forme concrète : ce sera la «grande expérience de l'équilibre des liqueurs», l'une des plus célèbres de toute l'histoire des sciences.

Pascal justifie le choix de l'Auvergne

Lorsque je mis au jour mon Abrégé sous ce titre : *Expériences nouvelles touchant le vide*, etc., où j'avais employé la maxime de l'horreur du vide, parce qu'elle était universellement reçue, et que je n'avais point encore de preuves convaincantes du contraire, il me resta quelques difficultés qui me firent grandement défier de la vérité de cette maxime, pour l'éclaircissement desquelles je méditais dès lors l'expérience dont je fais voir ici le récit, qui me pouvait donner une parfaite connaissance de ce que j'en devais croire. Je l'ai nommée *la grande Expérience de l'équilibre des liqueurs*, parce qu'elle est la plus démonstrative de toutes celles qui peuvent être faites sur ce sujet, en ce qu'elle fait voir l'équilibre de l'air avec le vif-argent, qui sont, l'un la plus légère, et l'autre la plus pesante de toutes les liqueurs qui sont connues dans la nature. Mais parce qu'il était impossible de la faire en cette ville de Paris, qu'il n'y a que très peu de lieux en France propres pour cet effet, et que la ville de Clermont en Auvergne est un des plus commodes, je priai M. Périer, conseiller en la cour des aides d'Auvergne, mon beau-frère, de prendre la peine de l'y faire. On verra quelles étaient mes difficultés et quelle est cette expérience par cette lettre que je lui en écrivis alors.

Copie de la lettre de Monsieur Pascal le jeune, à Monsieur Périer, du 15 novembre 1647

[...] Je ne saurais mieux vous témoigner la circonspection que j'apporte avant que de m'éloigner des anciennes maximes, que de vous remettre dans la mémoire l'expérience que je fis ces jours passés, en votre présence, avec deux tuyaux l'un dans l'autre, qui montre apparemment le vide dans le vide. Vous vîtes que le vif-argent du tuyau intérieur demeura suspendu à la hauteur où il se tient par l'expérience ordinaire, quand il était contrebalancé et pressé par la pesanteur de la masse entière de l'air ; et qu'au contraire il tomba entièrement sans qu'il lui restât aucune hauteur ni suspension, lorsque, par le moyen du vide dont il fut environné, il ne fut plus du tout pressé ni contrebalancé d'aucun air, en ayant été destitué de tous côtés. Vous vîtes ensuite que cette hauteur de suspension du vif-argent augmentait ou diminuait à mesure que la pression de l'air augmentait ou diminuait, et qu'enfin toutes ces diverses hauteurs de suspension du vif-argent se trouvaient toujours proportionnées à la pression de l'air.

Certainement, après cette expérience, il y avait lieu de se persuader que ce n'est pas l'horreur du vide, comme nous estimons, qui cause la suspension du vif-argent dans l'expérience ordinaire, mais bien la pesanteur et pression de l'air qui contrebalance la pesanteur du vif-argent. Mais parce que tous les effets de cette dernière expérience des deux tuyaux, qui s'expliquent si naturellement par la seule pression et pesanteur de l'air, peuvent encore être expliqués assez probablement par l'horreur du vide, je me tiens dans cette ancienne maxime : résolu néanmoins de chercher l'éclaircissement entier de cette difficulté par une expérience décisive. J'en ai imaginé une qui pourra seule suffire pour nous donner la lumière que nous cherchons, si elle peut être exécutée avec justesse. C'est de faire l'expérience ordinaire du vide plusieurs fois en même jour, dans un même tuyau, avec le même vif-argent, tantôt au bas et tantôt au sommet d'une montagne, élevée pour le moins de cinq ou six cents toises, pour éprouver si la hauteur du vif-argent suspendu dans le tuyau se trouvera pareille ou différente dans ces deux situations. Vous voyez déjà, sans doute, que cette expérience est décisive de la question et que, s'il arrive que la hauteur du vif-argent soit moindre au haut qu'au bas de la montagne (comme j'ai beaucoup de raisons pour le croire, quoique tous ceux qui ont médité sur cette matière soient contraires à ce sentiment), il s'ensuivra nécessairement que la pesanteur et pression de l'air est la seule cause de cette suspension du vif-argent, et non pas l'horreur du vide, puisqu'il est bien certain qu'il y a beaucoup plus d'air qui pèse sur le pied de la montagne, que non pas sur son sommet, au lieu qu'on ne saurait dire que la nature abhorre le vide au pied de la montagne plus que sur son sommet.

Copie de la lettre de Monsieur Périer à Monsieur Pascal le jeune, du 22 septembre 1648

Monsieur,

Enfin j'ai fait l'expérience que vous avez si longtemps souhaitée. [...] Je vous en donne ici une ample et fidèle relation, où vous verrez la précision et les soins que j'y ai apportés, auxquels j'ai estimé à propos de joindre encore la présence de personnes aussi savantes qu'irréprochables, afin que la sincérité de leur témoignage ne laissât aucun doute de la certitude de l'expérience.

Suivait la relation des faits.

La journée de samedi dernier, 19 de ce mois, fut fort inconstante; néanmoins, le temps paraissant assez beau sur les cinq heures du matin, et le sommet du Puy-de-Dôme se montrant à découvert, je me résolus d'y aller pour y faire l'expérience. [...]

Premièrement, je versai dans un vaisseau seize livres de vif-argent que j'avais rectifié durant les trois jours précédents; et ayant pris deux tuyaux de verre de pareille grosseur et longs de quatre pieds chacun, scellés hermétiquement par un bout et ouverts par l'autre, je fis, en chacun d'eux, l'expérience ordinaire du vide dans ce même vaisseau, et ayant approché et joint les deux tuyaux l'un contre l'autre, sans les tirer hors de leur vaisseau, il se trouva que le vif-argent qui était resté en chacun d'eux était à même niveau, et qu'il y en avait en chacun d'eux, au-dessus de la superficie de celui du vaisseau, vingt-six pouces trois lignes et demie. Je refis cette expérience dans ce même lieu, dans les deux mêmes tuyaux, avec le même vif-argent et dans le même vaisseau deux autres fois, et il se trouva toujours que le vif-argent des deux tuyaux était à même niveau et en la même hauteur que la première fois.

Cela fait, j'arrêtai à demeure l'un de ces deux tuyaux sur son vaisseau en expérience continuelle: je marquai au verre la hauteur du vif-argent, et, ayant laissé ce tuyau en sa même place, je priai le R. Père Chastin, l'un des religieux de la maison, homme aussi pieux que capable, et qui raisonne très bien en ces matières de prendre la peine d'y observer de moment en moment, pendant toute la journée, s'il y arriverait du changement. [...]

Après, en descendant la montagne, je refis en chemin la même expérience, toujours avec le même tuyau, le même vif-argent et le même vaisseau, en un lieu appelé *Lafon-de-l'Arbre*, beaucoup au-dessus des Minimes, mais beaucoup plus au-dessous du sommet de la montagne, et là, je trouvai que la hauteur de vif-argent resté dans le tuyau était de vingt-cinq pouces. Je la refis une seconde fois en ce même lieu, et M. Mosnier, un des ci-devant nommés, eut la curiosité de la faire lui-même : il la fit donc aussi en ce même lieu, et il se trouva toujours la même hauteur de vingt-cinq pouces qui est moindre que celle qui s'était trouvée aux Minimes, d'un pouce trois lignes et demie, et plus grande que celle que nous venions de trouver en haut du Puy-de-Dôme, d'un pouce dix lignes; ce qui n'augmenta pas peu notre satisfaction, voyant la hauteur du vif-argent se diminuer suivant la hauteur des lieux. [...]

Au reste, j'ai à vous dire que les hauteurs du vif-argent ont été prises fort exactement, mais celles des lieux où les expériences ont été faites, l'ont été bien moins.

Si j'avais eu assez de loisir et de commodités, je les aurais mesurées avec plus de précision, et j'aurais même marqué des endroits en la montagne de cent en cent toises, en chacun desquels j'aurais fait l'expérience, et marqué les différences qui se seraient trouvées à la hauteur du vif-argent en chacune de ces stations pour vous donner [ensuite] la différence qu'auraient produite les premières cent toises, celle qu'auraient donnée les secondes cent toises, et ainsi des autres, ce qui pourrait servir pour en dresser une table, dans la continuation de laquelle ceux qui voudraient se donner la peine de le faire, pourraient peut-être arriver à la parfaite connaissance de la juste grandeur du diamètre de toute la sphère de l'air. […]

Du Puy-de-Dôme à la tour Saint-Jacques

C'est à nouveau Pascal qui parle :

Cette relation ayant éclairci toutes mes difficultés, je ne dissimule pas que j'en reçus beaucoup de satisfaction et y ayant vu que la différence de vingt toises d'élévation faisait une différence de deux lignes à la hauteur du vif-argent, et que six à sept toises en faisaient une d'environ demi-ligne, ce qu'il était facile d'éprouver en cette ville, je fis l'expérience ordinaire du vide au haut et au bas de la tour Saint-Jacques-de-la-Boucherie, haute de vingt-quatre à vingt-cinq toises; je trouvai plus de deux lignes de différence à la hauteur du vif-argent; et ensuite, je la fis dans une maison particulière, haute de quatre-vingt-dix marches, où je trouvai sensiblement demi-ligne de différence; ce qui se rapporte parfaitement au contenu en la relation de M. Périer.

Tous les curieux pourront l'éprouver eux-mêmes, quand il leur plaira.

De cette expérience se tirent beaucoup de conséquences, comme:

Le moyen de connaître si deux lieux sont en même niveau, c'est-à-dire également distants du centre de la terre, ou lequel des deux est le plus élevé, si éloignés qu'ils soient l'un de l'autre, quand même ils seraient antipodes, ce qui serait comme impossible par tout autre moyen.

Le peu de certitude qui se trouve au thermomètre pour marquer les degrés de chaleur (contre le sentiment commun), et que son eau hausse parfois lorsque la chaleur augmente, et que parfois elle baisse lorsque la chaleur diminue, bien que toujours le thermomètre soit demeuré au même lieu.

L'inégalité de la pression de l'air, qui en même degré de chaleur [à la même température], se trouve toujours beaucoup plus pressé dans les lieux les plus bas.

Toutes ces conséquences seront déduites au long dans le Traité du vide, et beaucoup d'autres, aussi vraies que curieuses.

Textes repris par Robert Massain, in *Physique et physiciens*, Magnard, 1970

Les Rogations

Il était fréquent jusqu'au XIXe siècle, pendant les trois jours qui précédaient l'Ascension, de voir de grands cortèges traverser les champs. Précédés d'un prêtre, les fidèles en rangs serrés s'efforçaient, par leurs incantations ferventes, d'attirer sur leurs terres les bienfaits du ciel et d'en éloigner les maladies et catastrophes naturelles.

LE MÉCREDI DES ROGATIONS.

Avant la Procession on chante l'Ant. Exurge *, p. 126.* *avec l'Oraison,* Mentem familiæ, *comme ci-dessus, p. 127.*

En sortant de l'Eglise, l'Ant. Venite, *comme ci-dessus, pag. 127.*

Un Clerc entonne l'Ant. suivante.

De- us.   3. À.

Le Choriste du côté droit entonne le Ps. suivant.

PSEAUME 129. DE profúndis clamávi ad te, Dómine: * Dómine, exáudi vocem meam.
Fiant aures tuæ intendéntes * in vocem deprecatiónis meæ.
Si iniquitátes observáveris, Dómine; * Dómine, quis sustinébit ?
Quia apud te propitiátio est; * & propter legem tuam sustínui te, Dómine.
Sustínuit ánima mea in verbo ejus : * sperávit ánima mea in Dómino.
A custódia matútina usque ad noctem, * speret Israël in Dómino;
Quia apud Dóminum misericórdia, * & copiósa apud eum redémptio.
Et ipse rédimet Israël * ex ómnibus iniquitátibus ejus. Glória Patri. Sicut erat.

Contre les Orages.

Répons du 5. DIxit Dominus, & stetit spiritus procellæ, & clamaverunt ad Dominum, cùm tribularentur, & de necessitatibus eorum liberavit eos; & statuit procellam in auram. ✶ Confiteantur Domino misericordiæ ejus. & mirabilia ejus filius fi-

Depuis des temps immémoriaux, les hommes ont eu recours à la sorcellerie ou à la prière pour changer le temps. A la suite de calamités qui s'abattirent au Ve siècle sur le diocèse de Vienne Dauphiné, saint Mamert établit une procession solennelle de pénitence au cours des trois jours qui précèdent la fête de l'Ascension. Le concile d'Orléans, en 511, prescrivit cette pratique qui se répandit dans le reste de la France. [*Les Capitulaires de Charlemagne prohibèrent tout travail manuel pendant leur durée.*]

Les litanies des saints, les psaumes, les oraisons que l'on y chante sont des prières de supplications, de là leur nom de *Rogations*. Elles ont pour but d'éloigner les fléaux météorologiques et d'attirer les bénédictions de Dieu sur les biens de la terre. Ces jours-là, le prêtre, en signe de pénitence, adoptait la couleur violette pour ses vêtements sacerdotaux et n'allumait pas le cierge pascal.

Les litanies sont un admirable type

d'oraisons très courtes et dialoguées, chaque invocation étant doublée. Le prêtre adressait la prière suivante : «Nous demandons de votre bonté, Dieu tout-puissant, que les fruits de la terre que vous daignez développer par l'influence tempérée de l'air et de la pluie soient pénétrés de la rosée de votre bénédiction, que la fertilité de la terre comble les affamés d'une abondance de biens et que le pauvre et l'indigent célèbrent votre gloire.»

La paroisse se rendait en procession dans la campagne, dans la fraîcheur des matins de mai, s'arrêtait aux croix des carrefours. Le prêtre aspergeait alors d'eau bénite les quatre points cardinaux en chantant l'«Asperges me». Le premier matin était consacré à la fenaison, le deuxième à la moisson, le troisième aux vendanges.

En fait cette fête des Rogations, qui n'est plus guère pratiquée depuis Vatican II, s'était substituée à un culte

Pour demander de la Pluie.

ancien des Latins. L'Eglise, en effet, désireuse de faire disparaître les coutumes païennes, s'efforça de les transformer sans éliminer le passé. Les Rogations étaient naturellement trois célébrations [*les Ambarvales*] que les Romains organisaient entre la mi-avril et la mi-mai, au cœur du printemps, à l'époque pendant laquelle existent les risques de gelées. Nommées *Robigalia* pour les blés, *Floralia* pour les arbres fruitiers, *Vinalia* pour la vigne, elles invoquaient Saturne (ou «Sator», le semeur), protecteur des travaux agricoles, présidant à la vigne, aux récoltes et aux champs.

Chateaubriand a bien décrit les villageois de la campagne à Combourg «quittant leurs travaux pour implorer celui qui dirige le soleil et garde dans ses trésors les vents du midi et les tièdes ondées».

Pierre Vergnes, «Prières pour obtenir la pluie… ou le beau temps», in *Almanach d'Ouest-France*, Rennes, 1994

Richardson, le visionnaire du calcul numérique

Pendant les cinq années de la Première Guerre mondiale, un météorologiste anglais engagé comme ambulancier dans les rangs britanniques, avait réfléchi aux idées du Norvégien Bjerknes sur l'application du calcul numérique à la prévision du temps. Proche de la science fiction, il imaginait un gigantesque ordinateur humain, moitié usine, moitié théâtre…

Né à Newcastle-upon-Tyne en 1881, Lewis Fry Richardson était un membre bien connu de la Société des Amis : un quaker. Il travaillait depuis trois ans sur l'application à la météorologie du calcul numérique, lorsqu'il décida, en 1916, de rejoindre l'unité des Amis Ambulanciers, où il servit jusqu'à la fin de la guerre. Pacifiste au fond du cœur, il renonça à sa carrière dans la météorologie – au grand dam de ses collègues – lorsque celle-ci fut, en 1920, regroupé avec le ministère de l'Air. Son ouvrage, dont suit un extrait, fut publié en 1922. Toujours soucieux de mettre son talent au service de la meilleure cause, Richardson devait dès lors se consacrer à un nouveau sujet, combinant les analyses mathématiques et psychologiques dans la recherche des causes des guerres : la polémologie.

Les pièces d'un gigantesque échiquier

Il m'a fallu une bonne partie de six semaines pour remplir les formulaires de calcul et établir la nouvelle distribution dans deux colonnes verticales, pour la première fois. Mon bureau était un tas de foin dans un froid cantonnement en retrait. Avec de l'entraînement, le travail d'un calculateur moyen pourrait aller sans doute dix fois plus vite. Avec un pas de temps de trois heures, alors trente-deux personnes pourraient calculer exactement deux points de façon à avancer à la même vitesse que le temps, sans tenir compte du très grand gain de vitesse que l'on constate invariablement quand une opération complexe est divisée en parties plus simples, sur lesquelles des individus se spécialisent. Si les dimensions des carreaux de l'échiquier sont de 200 kilomètres sur l'horizontale, il y aurait 3 200 colonnes sur la Terre entière. Comme dans les régions tropicales le temps est souvent connu à l'avance, on peut considérer qu'il y a

2 000 colonnes actives. De cette façon, 32 x 2 000 = 64 000 calculateurs seraient nécessaires pour faire la course avec le temps sur la Terre entière. C'est un nombre plutôt considérable. Sans doute, dans quelques années, sera-t-il possible de simplifier le schéma de calcul. Mais, de toute façon l'organisation qui est proposée est celle d'une fabrique de prévisions centralisée pour l'ensemble de la Terre ou pour des parties limitées par des frontières où le temps est invariable, avec des calculateurs humains spécialisés sur des équations différentes. Espérons pour eux qu'ils seront régulièrement affectés à de nouvelles opérations.

Faisons un rêve : le théâtre de la prévision

Après un raisonnement aussi difficile, on peut sans doute s'autoriser un peu de fantaisie. Imaginons un immense hall en forme de théâtre, sauf que les galeries et balcons y feraient un tour complet, occupant ainsi la place dévolue à la scène. Les murs de cet espace seraient peints pour représenter une carte de la Terre. Le plafond représenterait les régions polaires septentrionales, l'Angleterre serait dans les balcons, les tropiques dans les baignoires du haut, l'Australie au niveau des corbeilles et l'Antarctique dans la fosse. Une myriade de calculateurs humains sont au travail sur le temps de la partie de la carte où ils siègent, mais chacun ne s'occupe que d'une équation ou d'une partie d'équation. Le travail de chaque région est coordonné par un employé de haut rang. De nombreux petits tableaux affichent les valeurs instantanées de sorte que les calculateurs voisins puissent les lire. Chaque nombre est affiché dans trois niveaux adjacents, de façon à maintenir les communications avec le Nord et le Sud sur la carte. Du plancher de la fosse s'élève une haute

tour qui atteint la moitié de la hauteur du théâtre. Elle porte une chaire sur son sommet : le responsable de l'ensemble y est assis, entouré de plusieurs assistants et messagers. Une de ses tâches consiste à maintenir une vitesse de progression constante dans toutes les parties du globe. De ce point de vue, il ressemble au chef d'un orchestre dont les instruments seraient des règles à calcul et des machines à calculer. Mais au lieu d'agiter une baguette, il pointe un rayon lumineux rose en direction des régions en avance sur les autres et un rayon bleu vers celles qui sont à la traîne.

Quatre employés de haut niveau collectent le temps au fur et à mesure qu'il est calculé, et l'expédient à l'aide d'une messagerie pneumatique vers une salle calme. De là, il sera codé et téléphoné vers la station d'émission radio.

De l'air pour ceux qui calculent

Dans un bâtiment voisin, un service de recherche est installé qui invente des améliorations. Mais il est nécessaire de faire des essais à petite échelle avant de procéder à des changements dans les algorithmes utilisés dans le théâtre de calcul. Dans le sous-sol, un enthousiaste passe son temps à observer des tourbillons dans le liquide qui emplit un bassin en rotation, mais jusqu'à présent la méthode numérique donne de meilleurs résultats. Dans un autre bâtiment sont installés les services financier, courrier et administratif habituels. A l'extérieur se trouvent des terrains de jeux, des habitations, des montagnes et des lacs, car on a pensé que ceux qui calculent le temps devraient pouvoir le respirer librement.

Lewis Fry Richardson,
La Résolution numérique des problèmes de la prévision du temps, traduction par Jean-Pierre Javelle et Michel Rochas

La météo de papa

Température, humidité, pression atmosphérique, vitesse et orientation des vents, importance des précipitations, au sol et en altitude, renvoient, en météorologie, à un certains nombres de gestes traditionnels. Si bon nombre d'entre eux peuvent désormais être avantageusement remplacés par des méthodes plus modernes, ils n'en demeurent pas moins des sources d'information à la fois simples et fiables.

L'ensemble des photographies présentées ici sont extraites d'un album offert en 1954 au président de la République, René Coty, afin de lui rendre compte de l'état des services météorologiques.

La nature des mesures effectuées n'a guère réellement changé depuis l'époque : la pression atmosphérique, la température, le taux d'humidité, la quantité d'eau recueillie ou la vitesse du vent restent des données de base indispensable. La plupart des appareils utilisés sont toujours en service. Quoi de plus simple que de jeter un coup d'œil au thermomètre pour évaluer la température ? Depuis, le développement de l'informatique a permis de multiplier les mesures sans remetttre en cause le précieux et remarquable travail des météorologistes dans les années 1950.

Ci-dessous l'ensemble des instruments «d'intérieur» ; à droite, en haut, la lecture de la pression barométrique et un relevé des températures sous abri ; en bas, une mesure pluviométrique et l'appréciation, au sol, de la vitesse du vent à l'aide d'un anémomètre à main.

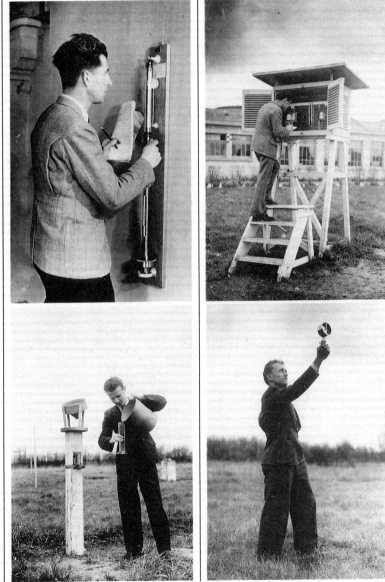

Le lancer d'un ballon-sonde (ci-contre) est une opération délicate, qui reste encore une affaire de spécialistes. Pour obtenir des valeurs correctes de la température, de l'humidité et de la pression, il fallait tout d'abord étalonner la sonde – l'étalonnage de l'élément de pression (ci-dessous) était effectué dans un caisson à vide. La réception des radios sondages (à droite, en haut) demandait une grande dextérité pour traduire les signaux reçus en valeur de température, de pression, de taux d'humidité, valeurs reportées ensuite (à droite, en bas) sur des graphiques avant d'être interprétées par les météorologues. De nos jours, toutes ces opérations se sont automatisées et banalisées, si bien que des mesures ne sont pas toujours appréciées à leur juste valeur.

Le radio théodolite (à droite, en bas) est un appareil de radiogoniométrie qui permet de localiser par la détermination de deux angles la position d'un petit émetteur spécial emporté par un ballon.

Effet de serre, avenir du temps

«Il semble probable que les modifications de l'environnement apportées par l'activité économique, et en particulier les modifications de la composition atmosphérique, vont atteindre dès la première moitié du XXIᵉ siècle une ampleur suffisante pour provoquer un réchauffement sensible des températures de surface»…

Jean-François Royer,
in «La Recherche»

La fonte des glaces est-elle pour demain ?

…Celui-ci va affecter les conditions climatiques de vastes régions du globe, avec le déplacement en bloc des zones climatiques vers les pôles, des pluies autour de l'équateur et au-delà de 50° de latitude, des sécheresses estivales intenses et de longue durée dans les régions habituellement tempérées, une augmentation des cyclones tropicaux, une disparition de la banquise arctique, une remontée du niveau des océans.»

Jean-François Royer, *op. cit.*

Ce tableau apocalyptique est brossé par un météorologiste éminent dont il est impossible de soupçonner un goût quelconque pour l'exagération. Quelle que soit la froideur ou l'objectivité scientifique des extraits qui suivent, leur engagement, tous incitent à bannir l'optimisme insouciant, autant que l'«écolo-catastrophisme».

L'influence de l'homme

Il est certain que le passage d'une civilisation agraire à une société industrielle a entraîné des modifications importantes du milieu, de la végétation, de l'hydrologie, de l'atmosphère, donc du temps. Le chauffage domestique, les activités industrielles, l'agriculture intensive, la circulation automobile, le transport aérien libèrent dans l'air une masse de polluants qui altèrent notre santé et perturbent le temps. On a ainsi pu établir que, dans la région industrielle de Saint-Denis, au nord de Paris, la visibilité était réduite de 50 % durant les journées de travail et de 30 % seulement pendant les dimanches et jours de fête. [...] Des études indiquent aussi une augmentation des pluies moyennes dans les régions urbanisées durant la semaine et une baisse durant le week-end, phénomène imputable à l'effet cumulatif des aérosols émis au début de la semaine.

Les météorologistes se sont efforcés de comprendre et d'expliquer ces transformations du climat et, au-delà, d'en tirer des leçons en vue d'une modification volontaire du temps. [...] L'O.M.M. constate toutefois : « A l'heure actuelle, il faut considérer qu'à l'exception de la dissipation des brouillards surfondus, la modification artificielle du temps fait encore partie du domaine de la recherche. L'augmentation des précipitations ou la suppression de la grêle de manière fiable sont encore des objectifs lointains. »

Danger réel ou science-fiction ?

Mais on peut aussi envisager des applications autres que pacifiques pour la météorologie. Dans son article, *La guerre météorologique : mythe ou réalité de demain,* Jacques Dettwiller [...] montre les deux attitudes qui s'affrontent sur la question de la guerre météorologique :

« Il y a ceux dont on peut dire qu'ils ont les pieds solidement sur terre et qui, reconnaissant que nous avons actuellement les possibilités, certaines mais limitées, d'action sur les éléments météo, utilisables actuellement militairement de façon marginale, pensent qu'il n'est pas plus abominable de faire tomber la pluie que des bombes [...]. Et il y a les autres, qui pensent que les progrès de la technique vont si vite, qu'il y a tant d'inconnues sur les conséquences possibles dans un domaine si sensible pour l'homme, et qu'on peut aboutir à des choses si effrayantes, qu'il faut dès maintenant travailler à fermer la boîte de Pandore et veiller à ce qu'elle ne puisse plus s'ouvrir.»

[...] Le principal et le plus réel péril est actuellement l'accroissement de la température provoqué par le CO_2. Un réchauffement uniforme de $1,1°$ C sur l'océan Atlantique entraînerait vraisemblablement un accroissement sensible, en fait le doublement du nombre des cyclones dans cette région du monde. La fonte de la banquise et des glaces polaires qu'engendrerait le réchauffement aurait pour conséquence une élévation du niveau des mers qui constituerait, à terme, une menace pour les régions littorales densément peuplées. La couche d'ozone stratosphérique menacée par le fréon pose aussi problème, mais on ne connaît pas encore toute l'étendue de la menace. [...]

Si nous évitons l'extermination atomique ou bactériologique, si nous échappons à la guerre météorologique, si nous réussissons à maîtriser l'industrialisation et ses conséquences funestes, l'humanité parviendra-t-elle pour autant à survivre ? Il est à craindre qu'elle périsse guérie.

Alfred Fierro,
Histoire de la météorologie, Denoël,
Paris, 1991

Les mécanismes régulateurs de «Gaia»

L'histoire et la préhistoire nous enseignent que les hommes n'ont pas manqué d'imprimer leur marque sur le paysage dès qu'ils en ont eu l'occasion. Par exemple, on pense que l'origine de la Grande Prairie américaine, qui a remplacé la forêt primordiale, réside dans les pratiques de chasse des premiers habitants néolithiques qui utilisaient l'incendie de forêt pour rabattre le gibier vers leurs pièges et leurs affûts. La désertification de la Mésopotamie résulte de la salinisation de son sol, conséquence indésirable de l'introduction précoce de l'irrigation intensive par les Sumériens à l'aube de notre histoire.

Il est évident que l'intérêt individuel entre souvent en conflit avec les impératifs généraux de gestion rationnelle des ressources limitées de notre planète. [...] Entre l'inconscience ignorante ou cynique des défricheurs et l'engagement également irrationnel des militants écologistes, on peut chercher une vision moins pétrie de préjugés anthropocentriques dans un curieux essai écrit par un professeur anglais, James Lovelock : *Gaia ou une nouvelle façon d'envisager la vie sur la Terre.*

Lovelock, chimiste de formation, n'a pu manquer d'être frappé par la grande disparité qui existe entre les propriétés de l'environnement terrestre, par exemple la composition de notre atmosphère, et celles qui résulteraient du simple jeu des processus physiques ou chimiques sur une planète morte. [...] La singularité de la Terre ne peut avoir qu'une seule explication : l'action biochimique des êtres vivants. [...] Le système planétaire, mi-organique, mi-physico-chimique, serait donc un « objet doué d'un projet » comme les êtres vivants eux-mêmes. [...]

Dans la perspective de Gaia, la pollution localisée ou globale n'est pas, suivant l'expression de Lovelock, « le résultat de quelque turpitude morale, mais la conséquence inévitable des processus de la vie ». On peut arguer, en effet, que l'organisation complexe des êtres vivants ne peut fonctionner qu'en rejetant dans l'environnement des substances chimiques dégradées en même temps que la chaleur en excès. [...] Malgré ses activités industrielles, l'humanité, considérée comme partie de Gaia, ne cause pas (encore) une distorsion sérieuse de ce principe, tant il est vrai que sa production de déchets demeure, à quelques exceptions près, un accroissement marginal des flux naturels.

[...] La première catégorie de problèmes auxquels nos enfants et nos petits-enfants seront confrontés au cours du siècle prochain résulte du changement attendu de l'environnement physique. [...] Des arguments scientifiques solides, sinon tout à fait précis, nous avertissent qu'il en résultera une évolution relativement rapide du climat pour toutes les régions de la Terre, d'une ampleur inégalée dans un intervalle de temps aussi bref, au point que l'on peut légitimement parler d'une *crise climatique* à venir. Les problèmes causés par ce phénomène ne seront pas insurmontables, tant il est vrai que dans le passé l'humanité a étalé des intempéries de même nature avec des moyens technologiques et économiques autrement plus rustiques. L'homme primitif n'at-il pas survécu aux glaciations ! De plus, le changement climatique prévu est sans doute réversible pour l'essentiel, en raison de la relative simplicité (à l'échelle de Gaia) des mécanismes physiques qui régissent l'équilibre thermodynamique de la planète. Nos très lointains descendants ont toutes chances de voir le système régulateur naturel ramener progressivement le climat de la Terre vers un état proche des conditions actuelles, à partir du moment où ils auront éliminé les sources de gaz carbonique et autres gaz excédentaires.

Jean-Claude Duplessy et Pierre Morel,
Gros temps sur la planète,
Editions Odile Jacob, Paris 1990

L'effet de serre ? Et alors !

Le texte qui suit a naturellement fait couler beaucoup d'encre. Yves Lenoir semble vouloir révéler un danger trop souvent passé sous silence : la main-mise du lobby éco-technocratique sur le devenir de la planète. Brandir la perspective d'une catastrophe permettrait de cautionner sans discussions un certain nombre de choix.

L'OMM et le PNUE ont mis sur pied, en 1988, une vaste coordination d'organismes scientifiques, technocratiques et écologistes impliqués dans la question du changement climatique : l'IPCC (Intergovernmental Panel on Climate Change), [qui a] pour ambition de définir un modèle de développement et de régulation pour la planète et de le faire mettre en œuvre par les gouvernements. [...] Les intérêts en jeu sont, il est vrai, considérables, autant sur le plan des programmes de recherche (satellites coûteux, campagnes océanographiques intensives, financement des équipes de modélisation et de leurs ordinateurs géants, etc.) que sur celui de la crédibilité des multinationales de la communication écologiste et des machineries politico-administratives nationales et internationales qui se sont arrogé la mission d'orchestrer et de gérer le catastrophisme climatique. [...]

Rappelons d'emblée que le climat a toujours varié, parfois sous forme de transitions rapides et de grande amplitude comme lors de la fin de la dernière ère glaciaire, souvent sous une forme cyclique déjà repérée par les Anciens [...].

Les changements actuels relèvent évidemment pour une grande part de cet enchaînement irréversible. Prétendre, au nom d'un « principe de précaution » arrêter le cours du climat est donc aussi insensé que rêver d'interrompre le mouvement de la Terre sur son orbite. [...]

Une étude récente de l'OCDE, *Parer au changement climatique,* apporte des indications chiffrées sur le coût de différentes stratégies d'adaptation dans l'hypothèse considérée comme extreme par ses auteurs, d'une montée d'un mètre du niveau des océans à l'horizon de la fin du siècle prochain. L'effort à consentir équivaudrait à quelques millièmes du PNB mondial (valeur 1985) tout au long de la période. En revanche, les estimations du coût des politiques visant à réduire les émissions de CO_2 se chiffrent toutes en centièmes du PNB dans le long terme.

En attendant, d'autres urgences sociales et écologiques, immédiates et tangibles celles-là, appellent un traitement prioritaire, sans le handicap initial que représenterait un système de contraintes économiques imposées au nom de la lutte contre l'effet de serre !

Yves Leloir,
«L'Effet de serre remis en question»,
in *Science et Avenir*, décembre 1992

BIBLIOGRAPHIE

– Les Amis de l'Aigoual, *La Météo de A à Z*, Editions Stock, 1989.

– Les Amis de l'Aigoual, *Les Prévisions météo*, Editions Les Amis de l'Aigoual, 1992.

– Arlery, Raymond, *Le Climat de la France*, Météo Nationale.

– Attali, Fernand, *Le Temps qui tue, le temps qui guérit*, Editions du Seuil, 1990.

– Berger, A., *Le Climat de la Terre. Un passé pour quel avenir?*, De Bœck Université, 1992.

– Berroir, André, *La Météorologie*, PUF, 1986.

– Chaboud, René, *La Météo, questions de temps*, Editions Nathan, 1993.

– Chassany, Jean-Philippe, *Dictionnaire de météorologie populaire*, Maisonneuve et Larose, 1970.

– Coppé, P., *Les Animaux météo*, Editions Balland, Paris, 1982.

– Dettwiller, Jacques, *Chronologie de quelques événements météorologiques, en France et ailleurs* (Monographie n° 1), Editions Ministère des Transports, Direction de la Météorologie.

– Dhonneur, Georges et Gillot-Pétré, Alain, *La Météorologie et ses secrets*, Paris, Nathan, 1984.

– Escourrou, Gisèle, *Le Climat et la ville*, Nathan Université, 1992.

– Fierro, Alfred, *Histoire de la météorologie*, Denoël.

– Joly, Alain, *Les Tempêtes, les dépressions, comment elles se forment, comment elles évoluent?*, Météo France.

– Kessler, Jacques et Chambraud, André, *La Météo de la France, tous les climats localité par localité*, J.-C. Lattès, 1986.

– Kohler, Pierre, *Prévoir le temps en 10 leçons*, Paris, Hachette, 1981.

– Le Roy Ladurie, Emmanuel, *Histoire du climat depuis l'an mil*, Flammarion, 1983, 2 vol.

– Mayençon, R., *Météorologie marine*, Editions maritimes et d'Outre-Mer

– Mayençon, R., *Météorologie pratique*, Editions maritimes et d'Outre-Mer, Neptune, Paris, 1980.

– Metz, Jules, *Croyances, légendes et dictons de la pluie et du beau temps*, Robert Laffont.

– Ministère de la Culture, *Après la pluie le beau temps : la météo*, Editions de la Réunion des musées nationaux.

– Morel, Pierre et Duplessy, Jean-Claude, *Gros Temps sur la planète*, 1990, Editions Odile Jacob.

– Rochas Michel et Javelle Jean-Pierre, *La Météorologie, la prévision numérique du temps et climat*, Editions Syros, 1993.

– Roux, F., *Les Orages*, Editions Payot, 1991.

– Roux, F., *Le Temps qu'il fait*, Editions Payot, 1993.

– *Saisons et Climats*, Editions Balland, 1989.

– Triplet, J.-P. et Roche, G., *Météorologie générale*, Ecole nationale de la météorologie.

– Vaillant, René, *Météo, plein ciel*, Teknea, 1990.

– De Parceveaux, Payend, Brochet, Samie, Hallaire et Mériaux, *Dictionnaire encyclopédique d'agrométéorologie*, CILF/INRA/Météo-France.

– Walch D. et Neukamp, E., *La Météo et vous*, Hachette

TABLE DES ILLUSTRATIONS

COUVERTURE

1er plat Photo prise par le satellite NOAA9 le 6 août 1987 avec fausses couleurs faisant apparaître une perturbation arrivant sur les îles Britanniques.
Dos Thermomètre à mercure.
2e plat Cumulus.

OUVERTURE

1 Photo de la France prise par le satellite Météosat. Cliché Météo-France Lannion.

1c Un technicien relève les températures sous abri.

2 Photo de l'Argentine prise par le satellite Météosat. Cliché Météo-France Lannion.

2c Observation de l'évaporation à l'Observatoire central de Buenos Aires, Argentine.

3 Photo du Maroc prise par le satellite Météosat. Cliché Météo-France Lannion.

3c Une météorologiste marocaine.

4 Photo de l'émirat de Bahrein prise par le satellite Météosat. Cliché Météo-France Lannion.

4c Mesure de l'eau à l'aéroport international du Barhein.

5 Photo du Canada prise par le satellite Météosat. Cliché Météo-France Lannion.

5c Préparatifs pour un radiosondage au Canada.

6 Photo des îles britanniques prise par le satellite Météosat. Cliché Météo-France Lannion.

6c Tracé sur lune carte à l'Observatoire météorologique de Bracknell, Royaume

Uni.

7 Photo de Hong-kong prise par le satellite Météosat. Cliché Météo-France Lannion.

7c Relevé de pluviomètre à Hong-Kong.

8 Photo de Centre-Afrique prise par le satellite Météosat. Cliché Météo-France Lannion.

8c Météorologiste bénévole du Centre horticole de Sainte-Anne, République Centrafricaine.

9 Photo de la Jamaïque prise par le satellite Météosat. Cliché Météo-France Lannion.

9c Installation de matériel d'observation météorologique à la Jamaïque.

11 Le zouave du pont de l'Alma, dont la hauteur d'immersion sert à apprécier les crues de la Seine.

CHAPITRE I

12 «1er jour : Dieu sépara la lumière des ténèbres», miniature in la Bible des Grands Augustins, Paris, 1494. Bibliothèque Mazarine, Paris.

13 «M. le Vent et Mlle la Pluie», détail d'une planche illustrée, Imagerie Pellerin à Epinal. Coll. part.

14h Le brachiosaurus, illustration de Zdenek Burian pour le livre de Joseph Augusta Les Animaux préhistoriques, Paris, 1941, Editions de la Farandole.

14b Kuduru de

Melishipole II, bas relief babylonien, face aux emblèmes, vers 1100 av. J.-C. Musée du Louvre, Paris.

15 Ancien os gravé chinois portant des inscriptions relatives à des phénomènes météorologiques de 10 jours consécutifs, à une époque située entre 1339 et 1281 av. J.-C.

16g Anaxagore de Milet, philosophe grec du IVe siècle av. J.-C., peinture, détail. Université d'Athènes.

16d Portrait de Thalès. Bibl. nat., Paris.

17 Eclairs et trombes d'eau sur la mer, miniature du XIIIe siècle pour le De Natura Rerum de Lucrèce traduit par Albert le Grand. Bibliothèque de l'Abbaye de Saint-Amand.

18 Saint Donat, patron de la foudre, imagerie d'Epinal, vers 1840. Musée Carnavalet, Paris.

18-19 Pluie de croix, gravure sur bois pour le livre des Histoires prodigieuses de Conrad Lycosthènes, Bâles, 1557. Bibl. nat., Paris.

19 Deus regit astra. Bibl. nat., Paris.

20h, 20bg, 20bm, 20bd, 21bg, 21bm et 21bd Images tirées de la planche «M. le Vent et Mlle la Pluie», Imagerie Pellerin à Epinal. Coll. part.

21h Préjugés populaires sur le temps, imagerie d'Epinal, milieu du

XIXe siècle, détail concernant la lune rousse.

22 Lavoisier analysant l'air atmosphérique, gravure in Camille Flammarion L'Atmosphère.

22-23 Mort du professeur Richmann au cours d'une expérience, à Saint-Pétersbourg, le 6 août 1753, bois gravé, vers 1880.

23 Ascension en ballon de Joseph-Louis Gay-Lussac accompagné de Jean-Baptiste Biot en 1804, gravure de Deschamps.

24hg Horace Bénédict de Saussure, gravure de A. Tardieu d'après Saint-Ours. Bibl. nat., Paris.

24hd Portrait d'Evangelista Torricelli, peinture. Galerie des Offices, Florence.

24bg Balance hygrométrique à déchets de coton, gravure du XVIIe siècle.

24bd Balance hydrostatique en verre de l'Academia del Cimento. Musée de la science à Florence.

25g Expérience de Robert Boyle sur la pression atmosphérique, gravure du XVIIe siècle.

25d Baromètre, fin du XVIIIe siècle. Musée Carnavalet, Paris.

26g Thermoscope de Galilée. Musée de la science, Florence.

26m et 26bd Thermomètres en verre créés en 1657 par les savants de

l'Academia del Cimento à Florence. Institut S. Maria Novella (Farmacia), Florence.

26hd Portrait de Ferdinand II de Médicis en costume de Turc, par Sustermans Justus. Galerie Palatine, Florence.

27g Thermomètre à mercure de Megnié-Paris, utilisé par Lavoisier. Musée national des techniques (CNAM), Paris.

27d Thermomètre surmonté d'un bonnet phrygien, fin du XVIIIe siècle. Musée Carnavalet, Paris.

28 Naufrage du Henri IV, le 13 novembre 1854, gravure.

28-29 Carte relative à l'orage du 13 juillet 1788. Archives nationales, Paris.

29 Urbain Le Verrier, détail d'un portrait peint par Giacometti. Musée du Château de Versailles.

30 Le congrès météorologique international de 1879, photographie.

30-31 Courbes barométriques du 7 et du 10 septembre 1863.

31 Buys-Ballot.

32 Pilône anémométrique et serre à l'observatoire Teisserenc de Bort, pendant la guerre de 1914-1918.

32-33 Lâcher de ballon-sonde lors de l'expédition allemande au Groënland en 1930-1931.

33 Préparation d'un cerf-volant à

l'observatoire Teisserenc de Bort, pendant la guerre de 1914-1918.

CHAPITRE II

34 La terre vue d'un satellite.
35 Le savant sortant du monde, détail d'un bois gravé, fin du XVe siècle.
36 Eruption solaire vue par Skylab.
37 Représentation du soleil dans un manuscrit italien du XVe siècle, *De Sphaera*. Bibliothèque Estense, Modène.
38hg et 38hd Hêtre des Vosges en drapeau, au printemps et en automne.
38b Dessin d'astronomie, probablement extrait de l'ouvrage de Kircher (à vérifier). Bibl. nat., Paris.
39h Translation de la Terre autour du Soleil, gravure in Camille Flammarion, *L'Atmosphère*.
39bg et 39bd Hêtre des Vosges en drapeau, en hiver et en été.
40g Portrait de sir William Herschel (1738-1822), astronome anglais, par James Sharples. Musée d'art de la ville de Bristol.
40d Evaporomètre Piche, servant à établir la valeur de l'eau atmosphérique.
41h Teisserenc de Bort.
41b Composition en pourcentage des divers gaz de l'atmosphère. Schéma par Vincent

Lever.
42 Coupe verticale de l'atmosphère. Infographie Calliscope
43 Lever de soleil sur l'Afrique du Sud. Photographie transmise par le Johnson Space Center, Houston, Texas.
44h Carte météorologique établie par Edmond Halley en 1686. The Royal Society, Londres.
44b Portrait de l'astronome Edmond Halley. The Royal Society, Londres.
45 Schéma représentant l'orientation des vents de part et d'autre de l'équateur et les cellules de Hadley. Infographie Calliscope
46 Courant-jet subtropical photographie au-dessus de la vallée du Nil et de la Mer Rouge.
47g Patineur pendant les championnats de Lillehammer en 1994.
47d Bande nuageuse liée à un courant-jet au-dessus de l'Atlantique.
48hg et 48hd Deux photographies d'une perturbation sur le Nord-Ouest Atlantique prises par Météostat les 22 et 23 mai 1978.
48-49 Naissance de dépressions à partir des courants-jets. Schéma par Vincent Lever.
49 Formation d'une dépression. Schéma par Vincent Lever.
50g Schéma des pressions moyennes au niveau de la mer.
50d Manchots

empereurs en région polaire.
51 Vue du désert de Kalahari, Gembsok National Park.

CHAPITRE III

52 Photo de nuages dans les montagnes de Huang Shan.
53 Météorologiste amateur et anglais recueillant pour les mesurer les pluies de la journée.
54 Pierre de Valenciennes, *A Rome : étude de ciel chargé de nuages*, peinture. Musée du Louvre, Paris.
55h Nuage lenticulaire, photographie.
55b Luke Howard, l'inventeur de la classification des nuages. The Royal Meteorological Society, Bracknell, Berkshire, Angleterre.
56h Cirrus, photographie.
56m Cirrostratus avec halo solaire, photographie.
56b Cirrocumulus, photographie.
57h Altocumulus, photographie.
57m Altostratus, photographie.
57b Nimbostratus, photographie.
58h Stratus, photographie.
58b Stratocumulus, photographie.
59h Cumulus, photographie.
59m Cumulonimbus, photographie.
59b Cumulonimbus en enclume, photographie.
60 Grêlons gros comme des oranges,

gravure in Camille Flammarion, *L'Atmosphère*.
60-61h Schéma des diverses phases d'une précipitation. Infographie, Calliscope.
60-61b Travailleurs de la station d'études sur les avalanches de Tyuya-Ashu (Russie), janvier 1965.
61 Cristaux de neige, photographie.
62g Lit du Rhin desséché et craquelé après une longue période de sécheresse, août 1952.
62d Pluie tropicale en Guyanne, détail d'une photographie.
63 Gouttes d'eau sur une toile d'araignée.
64g, 64d et 65g Arrivée sur l'Europe d'une perturbation venant de l'Atlantique ; situation barométrique aux 20, 21 et 22 décembre 1959.
64-65 *Brouillard sur l'Oise le 5 mars 1905*, photographie de Fernand Arnal. Musée d'Orsay, Paris.
65d Symboles représentant, de haut en bas : front froid, front chaud, front stationnaire et front occlus.
66h Cirrus au-dessus de Nîmes, photographie.
66-67 Foule s'abritant sous des parapluies lors d'une averse pendant un tournoi de tennis à Wimbledon.
67 Schéma d'un système associé à une dépression.
68 Ciel de traîne sur la

Franche-Comté.
68-69 Schéma d'un cumulo-nimbus.
Infographie Calliscope
69 *L'Orage de grêle*, peinture de Thomas Benton, 1940. Joslyn Art Museum, Omaha.
70h Pluie de poissons en Scandinavie, gravure in Olaus Magnus *Historia de gentibus septentrionalibus*, 1555, Suède. Musée d'Histoire naturelle, Paris.
70b Un nuage de sauterelles ravage le Sud marocain, 1954.
71 Tourbillon d'eau happée par le vent au-dessus d'un étang à Tampa Bay, Californie.
72g Eclair.
72d Bracelet arraché par la foudre, gravure in Fonvielle, *Eclairs et tonnerre*, 1887. Bibl. nat., Paris.
72-73 Eclairs sur Java.
73 Jupiter tenant la foudre, gravure anonyme du XVIIIe siècle. Bibl. nat., Paris.
74h L'ombre de la montagne projetée sur les nuages à Château d'Œx (Suisse) le 20 novembre 1934, photographie in *L'Illustration*, 4 mai 1935.
74b Aurore australe, Antarctique.
75 *Paysage à l'arc-en-ciel*, peinture de Wright of Derby, 1794. Museum and Art Gallery, Derby.

CHAPITRE IV

76 Ex-voto marin. Musée de Martigue.
77 *Jeune femme*

surprise par la tempête, peinture de Fereol Bonnemaison, début du XIXe siècle. Brooklyn Museum, New York.
78 Rose des vents extraite de l'Atlas Blauel, Amsterdam, 1647. Bibliothèque des Arts décoratifs.
78-79 Figures des huit vents représentés sur la tour des vents à Athènes, gravure de Philibert Boutrois.
79m La tour des vents à Athènes, plaque autochrome. Musée Albert Kahn, Boulogne.
79b Deux touristes sur l'Acropole.
80 Girouette sur un toit de Florence, photographie, vers 1930.
80-81 Deux ingénieurs de l'Institut Hongrois de Météorologie, à Budapest, évaluent la vitesse du vent en observant le déplacement d'un ballon lâché à cet effet.
81 Anémomètre à main.
82 Schéma représentant la force de Coriolis. Infographie Calliscope.
82-83 Concurrent de la coupe du monde de parapente, Dignes, septembre 1993.
83d Les brises de vallée. Schéma par Vincent Lever
84 Les brises côtières. Schéma par Vincent Lever
85h Nuage photographié (Mt Wrightson) à 40 miles au sud de Tuscon, au lever du soleil.

85b Schéma de l'effet de foehn.
86h Ferme californienne fonctionnant depuis 1960 avec production de son électricité par éolienne.
86b Pompiers new-yorkais bloqués par le gel lors de l'incendie, en mars 1908, d'un immeuble à Broadway. Le blizzard soufflait sur New York depuis plusieurs semaines.
86-87 Le Simoun en Afrique du Nord, bois gravé, vers 1880.
88h Tempête sur la Bretagne, photographie par satellite.
88b Rainette verte.
88-89 Echelle de Beaufort et équivalents. Schéma par Vincent Lever
89 Sir Francis Beaufort (177'-1857), photographie un Wheatherwise, vol. 28, n°6, décembre 1975.
90-91 *Shakespeare, Conte d'hiver, la tempête*, peinture de Wright of Derby. Christies, Londres.
92 Avion de reconnaissance de la Air Force Weather Service chargé de la surveillance des cyclones, 1951.
92-93 Ouragan en Floride, octobre 1949.
93 Image satellite du cyclone Andrew

CHAPITRE V

94 Représentation des vents dominants sur écran d'ordinateur.
95 Météorologue de l'observatoire d'Oakland en train de

lire les données enregistrées par un héliographe.
96 Bouée dérivante Bravo ancrée au large des côtes de Floride.
96-97 Bateau station météorologique point K.
97 Vilhelm Bjerknes.
98h Satellite défilant NOAA7.
98b Avion d'observation météorologique Merlin IV.
99hg Echiquier météorologique de Richardson.
99hd Appareil satellisé Météostat.
99b Déplacements des deux sortes de satellites autour du globe. Schéma par Vincent Lever.
100hg Détail d'un écran de contrôle utilisé par les «pilotes» des satellites Météosat.
100hd Ecran de vérification de la qualité d'un produit météorologique (humidité dans la haute atmosphère) au Centre d'Extraction d'Information Météorologique du Centre Européen d'Opérations Spatiales de l'ESA.
100-101 Image obtenue par traitement informatique d'une photo composite prise par Météosat-3 et Météosat-4 le 16 mai 1993.
101hg Ecran de vérification de la qualité d'un produit météorologique (Vecteurs vent extraits du canal Vapeur d'eau

156 ANNEXES

de Météosat) au Centre d'Extraction d'Information Météorologique du Centre Européen d'Opérations Spatiales de l'ESA.

101hd Ecran de vérification de la qualité d'un produit météorologique (Vecteurs vent extraits du canal Infrarouge de Météosat) au Centre d'Extraction d'Information Météorologique du Centre Européen d'Opérations Spatiales de l'ESA.

101m Vue d'ensemble de la salle de contrôle des satellites Météosat située au Centre Européen d'Opérations Spatiales de l'ESA à Darmstadt, Allemagne.

101b Antenne de 15 mètres de diamètre pointée vers Météosat à la station sol de l'Agence Spatiale Européenne située en Allemagne.

102 Opérateur établissant les connexions convenables pour recueillir les informations météo sur une région particulière au centre de Dunstable.

102-103 Directeur du centre de Bracknell (Royaume-Uni), expliquant le fonctionnement du computer Comet.

104 Grille de calcul de la version opérationnelle du modèle Arpège en service fin 1993.

104-105 Image

Météotel infrarouge.

105h Découpage de l'atmosphère en différents compartiments selon les niveaux. Schéma par Vincent Lever.

105b Réception, à la station de prévision météorologique de Dunstable, d'informations codées en provenance de Dakar.

106 Photo du câblier Léon Thévenin.

106-107 Antennes d'émissions satellites France-Télécom à Pleumeur Boudou.

107g Bouée météorologique.

107d Vue de la mer par le satellite Météosat, haute définition.

108h Antennes France-Télécom, Le Conquet Radio.

108b Sémaphore de la Pointe du Raz.

108-109 Carte des zones météo en Méditerranée, mer du Nord, mer d'Irlande, Manche et proche Atlantique. Schéma par Vincent Lever d'après un document de Météo-France.

109h Ancien homardier reconverti en bateau de plaisance.

109m Signaux d'avis de tempête. Schéma par Vincent Lever.

109b Bateau de pêche.

110h Détail d'une image radar montrant les échos dûs à un front chaud.

110-111 Appréciation des variations de température et de leurs effets sur la navigation aéronautique, août

1930.

111 Image satellitale «prévue», obtenue en combinant un fond de carte géographique et la simple transcription en grisé du flux de rayonnement infrarouge calculé par le modèle opérationnel Arpège au sommet de l'atmosphère.`

112-113 Dessin persan de papillons. Bibl. nat., Paris.

113 Préparation des cartes par un météorologiste américain à partir des images fournies par le satellite Nimbus

114 Tache solaire.

114-115 *Chasseurs dans la neige*, peinture de Brughel l'Ancien (1565). Musée d'Art et d'Histoire, Vienne.

115h et 115b Taches solaire.

116-117 Dr Charles Abbot, entouré de M. Aldrich du Smithsonian et Andrew Kramer, inventeur d'instruments, avec les deux disques jumelés du pyrhéliomètre et pyranomètre (?), août 1930.

117h Variations du rayonnement solaire à la surface de la terre. Schéma par Vincent Lever.

117b La précession des équinoxes. Schéma par Vincent Lever.

118-119 Eruption du volcan de l'île Krakatoa (Indonésie) en 1883.

119h Les Philippines pétrifiées sous les cendres du Pinatubo, en juin 1991.

119b Répartition autour du globe du dioxyde de souffre émis lors de l'éruption du volcan du mont Pinatubo, observation réalisée par le satellite de la NASA Vars.

120 Benjamin Franklin, homme d'Etat et inventeur du paratonnerre, au cours de son expérience, à Philadelphie en juin 1752, chromolithographie en 1876. Fonds Currier and Ives, New York.

120-121h et b Fabrication de cumulus à Lannemezan grâce au «météotron».

121d Canon anti-grêle mobile construit d'après le système Kanitz, vers 1900.

122-123 L'alerte à la grêle ayant été donnée, des viticulteurs italiens préparent leur dispositif de fusées à tirer dans les nuages.

124 Schéma détaillant les phénomènes qui forment l'effet de serre. Infographie Calliscope.

124-125 Représentation de la couche d'ozone au pôle Sud aux mois d'octobre 1979, 1981, 1983, 1985, 1987 et1989.

125 Serre horticole en Tunisie.

126g Dans l'un des centres de recherche sur le smog, établi dans la Ruhr, 1965.

126d «Purée de pois» à Londres.

126-127 Ciel pollué au-dessus de Mexico.

127b Sigle apposé sur les aérosols «Je protège

la couche d'ozone».
128 Manchon indicateur de la puissance et de la vitesse du vent près d'Orly.

TEMOIGNAGES ET DOCUMENTS

129 Illustration de Jean-Philippe Chabot.
130-131 Gravure

allemande du XVIIᵉ siècle représentant l'Air. Bibliothèque des Arts décoratifs.
133 Thalès de Milet, gravure. Bibl. nat., Paris.
134 Aristote, gravure. Bibl. nat., Paris.
136 L'expérience de Pascal à la Tour Saint-

Jacques, gravure in *L'Atmosphère* de Camille Flammarion.
139 Le Puy-de-Dôme, où fut réalisée l'expérience de Pascal.
140-141 Quatre prières extraites du *Processional à l'usage du diocèse de Chaalons*, 1745.
142 Portrait de Lewis

Fry Richardson.
144, 145, 146, 147 Photos extraites de l'«Album Coty». Collection de l'auteur.
148 Pollution en région parisienne, photographie.
151 Publicité dans un journal pour les chalets suisses météorologiques.

INDEX

A

Abbot *116*.
Abercromby 55.
Afrique *43*, 87.
Alizés 44, 79.
Alpes 86, 87, 88.
Alsace 19.
Altocumulus 55, *57, 85*.
Altostratus 55, *57*, 67.
Amérique 29, *69, 72, 92*, 127.
Amsterdam *78*.
Anaxagore de Milet *16*.
Andronicos de Cyrrhestes 79.
Anémomètre 22, *33, 81*.
Angleterre (anglais) 14, 20, 21, 55, *89, 95*, 127.
Anticyclone 43, 49, 50, 51, *51, 63*, 80, 82, 84, 86, 104, 111.
Antilles *93*.
Antiquité 15, 79, 115, *115*.
Apéliote 79.
Aphélie 38.
Arago *21*.
Aratus 16.
Arc-en-ciel 74-75, *75*.
Argon 40, *41*.
Aristote 16, 78.
Arpège *104*.
Ars magnae lucis et umbrae in mundi (A. Kircher) *39*.
Astrologie 18.
Astronomie 114, *114, 117*.
Astronomie populaire

(C. Flammarion) *115*.
Athènes 78, *78*, 79.
Atlantique *82*, 97.
Atmosphère 20, 32, 39-43, 96, 97, 102, 103, *104*, 111, *111, 112*, 114, 125, *125*.
Atmosphère, L' (C. Flammarion) *39*.
Aurore polaire *36, 74*, 75.
Autan 87.
Avogadro 23.
Azincourt 28.
Azote 23, 40, *41, 126*.

B-C

Babyloniens 15, *15, 16*.
Ballons-sondes 32, 33, *33, 41, 81*, 98, *98*.
Baromètre 22, 30, *44*, 66, 68, 80, 88, 110.
Beaufort, Francis *89*; échelle de *89, 91*.
Belgique 28.
Biot *23*.
Bjerknes 65, 96, *97*.
Blizzard *86*.
Borée (Aquilon) 78, *79*.
Bouées *96*.
Bretagne 23, *89*.
Brise 82, 83, *83*, 84, *84*, 86.
Brouillard 51, *51, 65*, 74, 121.
Bruine 62.
Bureau 33.
Buys-Ballot 31, *31*, 82.
Californie 86.
Cartes 78, *95*, 104, *111*,

112, 113.
«Carte isobare» 31, *31*, 44.
Centre de prévisions à moyen terme (CEPMMT) *103*.
Centre météorologique de Bracknell *103*.
Cerfs-volants 32, 33, *33*, *41*.
César 23.
Chaldéens *16*.
«Petit chemin de fer» 32, 33, 104.
Chinois 15, *15*, 28.
Chinook 86.
Cirrocumulus 55, *56*, 66.
Cirrostratus 55, *56*, 66, *66*, 74.
Cirrus 55, *56*, 65, *66*, 74.
Climatologie 114.
Computer Comet *103*.
Condensation 54, 55, 63, 84, 92.
Conférence internationale de Munich 55.
Coréens 28.
Corps (de la perturbation) 65, 67.
Courant-jet *46*, 47, *47*, 48, 49, 50.
Crécy, bataille de 28.
Crimée, guerre de 29, *29*.
Cumulonimbus 55, *59*, 68, 69, *69*, 70, *70*, 71, 72, 92, *121*.
Cumulus 55, *58, 59*, 68, 68.

Cyclone *89, 92, 92, 93, 93*; Andrew *93*.

D-E

Dalton 23.
De natura rerum (Lucrèce) 17.
Dépression 43, 48, *48*, 49, *49*, 50, 51, *51*, 63, 65, 80, *82, 82, 89*, 92, 104, 111.
Descartes 74, *75*.
Eclair 72, *73, 73*.
Eclipse *39*.
Ecosse 15.
«Effet de foehn» 84, *85*, 86.
«Effet de Venturi» 86.
ENIAC *102*.
Eolienne *86*; Eole 79.
Equateur 44, 45, *45*, 46, *46*, 47, 48, 49, *51, 63, 63, 73, 82, 116*.
Equinoxe *39, 89*, 116.
Eté austral 39.
Euros 78, *79*.

F-G

Ferrel 46.
Floride *93*.
«Force de Coriolis» *82*, 82.
Foudre *18*, 70, 72, *72*, 73.
Franklin *120*.
Front chaud *49*, 63, 64, 65, 67; froid *49*, 63, *64*, 67; occlus 63, 64, *64*, 67.
Galilée 38, 80, 115.
Gaulois 18.
Gay-Lussac 23, *23*.

Gaz carbonique 40, *41*, 125, 126.
Gel 19, 120, 121.
Genèse *13*, 15.
Géorgiques (Virgile) 17.
Girouette *33*, 78, *79, 80, 81.*
Givre 62, 63.
Goths 18.
Grecs 16, 73, 78.
Grêle (grêlon, grésil) 53, 60, *60*, 61, *69, 121.*
Grenouilles 16, *89.*
Guinée, golfe de *99.*

H-I

Hadley 44, *44*, 45, *45*, 46, 47, 49.
Hectopascal 43, *93*.
Héliographe *95*,
Hélium 40.
Helmholtz 46.
Hémisphère Nord 38, 39, 49, 81, *82*, 110;
Hémisphère Sud 39, 50, 79, 82, 110.
Henri-IV, vaisseau 29, *29.*
Himalaya 48.
Histoire d'Angleterre, L' (Rapin de Thoyras) *19.*
Hiver boréal 38.
Howard 55, *55.*
Hydrogène 40.
Hygromètre 22.
Indonésie *73.*
Informatique 102.
Institut hongrois de météorologie 81.
«Inversion des températures» 50, 51.

J-K-L

Japon 23.
Kaikias *79.*
Kalahari 49, *51.*
Krakatoa 118, *119.*
Krypton 40.
Kubilay khan 23.
Lamark 28, *55.*
Languedoc 87.
Laplace 23.
Latins 16, 17.
Lavoisier *23.*
Levant 88.

Ligne isobare 31, 32, 82, 88.
Lips *79.*
Lombarde 87.
Londres *82*, 110, *126.*
Lorenz 112.
Lune 15, 17, *20, 21, 39*, 74, 89, 116.

M

«Macchabées» *66.*
Mama 59.
Manche 23.
Marduk *15.*
Maroc *70.*
Méditerranée 86, 87, 88.
Merlin IV, avion *98.*
Mésosphère 42.
Météo-France *98.*
Météorologiques, Les (Aristote) 16.
Météotron *121.*
Mexico *127.*
Microclimat 84, 124.
Milankovitch 117.
Mistral («vent magistral») 79, 86, 87, *87.*
Moltchanov 33.
Mongols 28.
Montgolfière *23.*
Moyen Age 18, *36, 80.*

N-P

Napier Shaw *45.*
Napoléon Ier 28.
Neige *51*, *58*, 60, 61, 62, 85, *86.*
Néon 40.
Neumann 102.
Newton 75.
New York *86.*
Nimbostratus 55, *57*, 67, 68.
Noé 15.
Normandie 33.
Notos 78, *79.*
Nuages 53-59, 63, 66, 67, 85, *112*, 120, 121.
Observatoire de Paris *29; de Trappes 33.*
OMM *72.*
Orage *59*, 68, 71-73.
Organisation météorologique mondiale 126.

Ouragan 29, 77.
Oxygène *23*, 40, *41.*
Ozone 40, 42, *124, 125*, 126.
Paratonnerre 121.
Pascal 80.
Périhélie 38.
Perturbation 64, 65, *67.*
Philippe VI 28.
Philippines 119, *119.*
Pinatubo *43*, 119, *119.*
Pline 18.
Pluie *18*, 19, 60, 62, *63*, 67, 92, *92*, 104, 105, *112*; de «poissons» *70*, 71; de grenouilles 71.
Pluviomètre 22.
Point «K» *97.*
Pôle Nord 38, 39, 44, 45, 45, 47, *47*, 49, 63, 75, 81, *82, 86*, 116, 117, *124.*
Pôle Sud 38, 39, 44, 45, *45*, 47, *47*, 48, 49, *51*, 63, 75, 116, 117, *124, 125.*
«Pot-au-noir» 46.
Pression atmosphérique 22, 30, 36, 42, 43, *43, 49*, 65, 66, 80, 88, 92, *96*, 97, 110.
Prévision numérique 104, 111, *111*, 112, 115.
Pyranomètre *116.*
Pyrhéliomètre *116.*

Q-R

«Queues-de-chat» *66.*
«Queues-de-cheval» *66.*
Radars météorologiques 98, *110.*
Radio-sondage 33.
Radon 40.
Réunion, île de la *92.*
Rhin *63.*
Rhône 86.
Richardson 98, 99, *99*, 102.
Richmann *23.*
Roaring forties 79.
Rocheuses, montagnes 48, 86, *86.*
Romains *73.*
Rome *30*, 78.
Rose des vents 78, *78.*
Rosée 62, *63.*

Rossby 102.
Roussillon 87.
Russie (russe) *23*, 28, 33.

S

Sahara 49.
Sahel 49.
Saint-Pétersbourg *23.*
Saint Donat *18, 19.*
Satellites météorologiques *97*, 98, *98, 99, 111*, 119, *125;* Météosat *99;* Nimbus *113;* NOAA *98;* Skylab *43;* Titos *113.*
Schwabe 115.
Serre 124, *124*, 125, *125*, 126.
Simoun («vent poison») 79, 87, *87.*
Sirocco 79, 87.
Skiron *79.*
Smithsonian Institute *116.*
Smog *126.*
Solberg 65.
Soleil 15, *15*, 17, *20, 35*, 36-37, 39, 42, 43, 48, 51, *56, 58*, 65, 74, *74*, 75, *75*, 83, 89, 95, 113, *114*, 115, *115*, 116, *116, 117, 119*, 124, 125, 127.
Solstice 39, 116.
Stratocumulus 55, *58.*
Stratosphère *41*, 42, 119.
Stratus 55, *58*

T

Tambora 118.
Teisserenc de Bort 33, *33, 41.*
Tempête 77, 88, 89.
Tête (de la perturbation) 65, *67.*
Thalès 16, *16.*
Theodoric 75.
«Théorie norvégienne» 64.
Thermomètre 22.
Thermosphère 42.
Tonnerre 73, *73.*
Tornade 71.
Torricelli 22, 80.
Touraine 28.

Tour des vents 78, *79*.
Trafalgar 28.
Traîne (de la perturbation) 65, *67*, 68, *68*.
Traité des vents

(Théophraste) 16.
Tramontane 87.
Trombe *70*, 71.
Tropiques *48*.
Troposphère 41, *41*, 42.
Tyuya-Ashu, station *61*.

U-Z

Urbain Le Verrier 29, *29*.
Vaillant, maréchal 29.
Vent *48*, 66, 68, 71, 78-93, 104, 105.

Volcan 41, 118, 119, *119*.
Waterloo 28.
Xénon 40.
Zéphyros 78, *79*.
Zone de liaison (de la perturbation) 65.

CRÉDITS PHOTOGRAPHIQUES

© Agence Spatiale Européenne 100hd, 100hg, 101hd, 101hg, 101m, 101b. Archiv für Kunst und Geschichte, Berlin 32-33, 77, 120. Archives Gallimard Jeunesse 41b, 42, 45, 48-49, 49, 60-61h, 68-69, 76, 82, 83d, 84, 88-89, 99b, 105h, 117b,117h, 124, 129. © Photo Derek Bayes 55b. Bettman Archives 24bg, 151. Bibliothèque nationale, Paris 16d,, 18-19, 19, 24hg, 38b, 73, 78-79, 112-113, 133, 134. Bildarchiv und Preussischer Kulturbesitz, Berlin 22-23, 80, 86-87, 114-115, 121d. Bios, Paris/A; et M. Breuil 125; Bios/Alain Compost 72-73; Bios/Allan Panda 74b; Bios/Bernt Fisher 88b; Bios/Claude Jardel 62d; Bios/D. Cavagnaro 63; Bios/Denis Bringard 38hg, 38hd, 39bg, 39bd; Bios/Dra/Still Pictures 34, 93; Bios/J.P. Delobelle 68; Bios/Julio Etchart/Still Pictures 126-127; Bios/Mark Edwards/Still Pictures 86h; Bios/Michel Gunther 51; Bios/Thierry Thomas 50d; Bios/Visage 72g. Bridgeman Art Library, Londres 40g. Bridgeman/Giraudon, Paris 90-91. Jean-Loup Charmet, Paris 12, 14h, 18, 21h, 22, 28-29, 35, 39h, 60, 72d, 78, 130-131. Ciel et Espace, Paris/Nasa 36, 43, 124-125; Ciel et Espace/NOAO 114, 115h, 115b. Collection de l'auteur 144, 145, 146, 147. © Cosmos, Paris/ESA/ Science Photo Library 1er plat de couverture. Dagli-Orti, Paris 17, 27g. Dite, Paris/Nasa 46. D. R. dos de couv., 13, 20h, 20bg, 20bm, 20bd, 21bg, 21bm et 21bd, 23, 25g, 44h, 44b, 65d, 99hg, 127b, 136, 140-141, 142. Edimedia, Paris 69, 37. Explorer, Paris/G. Ladd 85h; Explorer/Nasa/P. Resear 119b; Explorer/© Deeks J.P. Resear 59b. Geneviève Zimmermann, Saint-Dionizy. 2e plat de couv., 55h,. 56b, 56h, 57m,. 59h,. 66h. Giraudon, Paris 25d, 27d, 29, 70h, 75. Keystone, Paris 53, 60-61b, 62g, 66-67, 70b, 71, 79b, 80-81, 92, 95, 96, 102, 102-103, 105b, 110-111, 113, 116-117, 120-121h et b, 122-123, 126d, 126g; Keystone/L'Illustration 74h, 86b, 92-93. Météo-France, Paris 1, 1c, 2, 2c, 3, 3c, 4, 4c, 5, 5c, 6, 6c, 7, 7c, 8, 8c, 9, 9c, 11s, 28, 30, 30-31, 31, 32, 33, 40d, 41h, 47, 48hg, 48hd, 50g, 56m, 57h, 58b, 58h, 59m, 61, 64g, 64d et 65g, 67, 81, 85b, 88h, 89, 94, 96-97, 97, 98b, 98h, 99hd, 100-101, 104, 104-105, 107d, 110h, 111, 128, 139, 148; Météo-France/© M. Bravard, Chamonix 57b; Météo-France/© Claude Fons 106, 106-107, 107g, 108h, 108b. Musée Albert Kahn, Boulogne 79m. Presse Sport/L'Equipe 47g, 82-83. Réunion des musées nationaux, Paris 14b, 54, 64-65. © Marc Riboud 52. Roger-Viollet, Paris 118-119. Scala, Florence 24bd, 24hd, 26g, 26hd, 26m, 26bd. Sipa Press/©Durieux 119h. Michael Tremer, Athènes 16g.

REMERCIEMENTS

L'auteur et les Editions Gallimard remercient l'Agence Spatiale Européenne pour la communication de documents photographiques, Monsieur Jean Le Ber de l'ESOC à Darmstadt, les différents services de Météo-France, tout particulièrement Madame Groma, Messieurs J. Damiens, Patrick Donguy, Claude Fons, Michel Hontarrède, Jean-Pierre Javelle et André Lebeau.

ÉDITION ET FABRICATION

DÉCOUVERTES GALLIMARD
DIRECTION : Pierre Marchand et Elisabeth de Farcy.
GRAPHISME : Alain Gouessant. FABRICATION : Violaine Grare. PROMOTION : Valérie Tolstoï.
PLEUVRA PLEUVRA PAS ? LA MÉTÉO AU GRÉ DU TEMPS
ÉDITION : Odile Zimmermann. MAQUETTE : Vincent Lever (corpus) et Dominique Guillaumin (Témoignages et Documents). ICONOGRAPHIE : Odile Zimmermann. INFOGRAPHIE : Calliscope, Montpellier. ILLUSTRATION DE LA P. 129 : Jean-Philippe Chabot. LECTURE-CORRECTION : Catherine Lévine. MONTAGE PAO ET PHOTOGRAVURE : BMPI pour le corpus ; Dominique Guillaumin et Arc-en-ciel pour les Tém.oignages et Documents.

Table des matières

I AU COMMENCEMENT ÉTAIT LE CIEL
14 Des temps antédiluviens
16 Savants et philosophes
18 La volonté du ciel
20 Les caprices de la Lune
22 La loi des gaz parfaits
24 *L'hygromètre, le baromètre*
26 *Le thermomètre*
28 Le temps des batailles
30 Premiers réseaux internationaux
32 Observer en altitude

II ATMOSPHÈRE, ATMOSPHÈRE...
36 Une étoile parmi tant d'autres
38 La ronde des saisons
40 L'eau dans l'air
42 Les étages de l'atmosphère
44 Halley, Hadley et les alizés
46 Ondulations, accélérations
48 Naissance et mort d'une dépression
50 Contrastes climatiques

III LE JEU DES NUAGES ET DE LA PLUIE
54 Les merveilleux nuages
56 *Nuages élevés, nuages moyens*
58 *Nuages bas, nuages à développement vertical*
60 Gouttes, cristaux, globules et flocons
62 Condensation, précipitations
64 Des brouillards et des fronts
66 La perturbation
68 Le géant des nuages
72 Mille tonnerres!
74 L'air, l'eau et la lumière

IV QUI SÈME LE VENT...
78 Les tours du vent
80 Girouettes et anémomètres
82 Courants ascendants
84 L'incidence du relief
86 Glacial ou torride
88 L'échelle de Beaufort
90 Coup de vent sur Manche ouest
92 Ouragan, cyclone, typhon

V LES MAÎTRES DU TEMPS
96 Bjerknes, l'importance de l'observation
98 Richardson, le calcul et l'utopie
100 Sous les yeux de Météosat
102 La prévision numérique
104 Les tiroirs de l'atmosphère
106 *Observer d'abord, observer encore*
108 *Les artisans de la sécurité en mer*
110 Le «spectateur éclairé»
112 Imprévisible nature
114 Taches solaires et âge glaciaire
116 L'astronomie et le climat
118 Eruptions volcaniques
120 Bienheureux les paratonnerres
122 Antigrêle dans un vignoble toscan
124 Rayonnement tamisé
126 Le ciel, la Terre et l'homme

TÉMOIGNAGES ET DOCUMENTS
130 L'enfance grecque de la météorologie
134 Ciel pommelé, femme fardée...
136 L'expérience de Pascal
140 Les Rogations
142 Richardson
144 La météo de Papa
148 Effet de serre, avenir du temps
152 Annexes